Premier amour

La collection Québec 10/10 *est publiée sous la direction de* Roch Carrier.

Éditeur : Éditions internationales Alain Stanké ltée
2127, rue Guy
Montréal (Québec)
CANADA H3H 2L9

L'illustration de la page couverture et le feuilletoscope qui anime ce livre sont la réalisation de Stefan Anastasiu.

© Les éditions internationales Alain Stanké, 1988

Mise en pages : Norman Lavoie

Données de catalogage avant publication (Canada)

Premier amour
(Québec 10/10 ; 100)
ISBN 2-7604-0318-1

I. Collection.
PS8323.L6P73 1988   C843'.085'08   C88-096132-5
PS9323.L6P73 1988
PQ3916.P73   1988

ISBN 2-7604-0318-1

Dépôt légal : premier trimestre 1988

IMPRIMÉ AU CANADA

Premier amour

Archambault ♥ Aubert de Gaspé ♥ Audet ♥
Beauchemin ♥ Beaulieu ♥ Benoit ♥ Bersianik ♥
Blais ♥ Boucher de Boucherville ♥ Carrier ♥
Chatillon ♥ Dubé ♥ Favreau ♥ Gélinas ♥
Grignon ♥ Hébert ♥ Jasmin ♥ Leblanc ♥
Lemelin ♥ Major ♥ Marchand ♥ Poulin ♥
Ringuet ♥ Rousseau ♥ Roy ♥ Simard ♥ Soucy ♥
Stanké ♥ Thériault ♥ Tremblay ♥ Turgeon

Stanké

AVANT-PROPOS

Quel bonheur l'équipe des Éditions Stanké et moi avons eu à préparer *Premier amour* !

Pour célébrer le centième titre de la collection au format de poche *Québec 10/10*, nous voulions vous offrir un livre de tendresse, un livre chaleureux, un livre d'amis, un livre d'amour : un livre à déguster comme un bon vin. Un livre qui donne le goût de lire les quatre-vingt-dix-neuf autres de la collection et les mille à venir !

Pourquoi ne pas demander tout simplement aux auteurs de nous confesser leur premier amour ? À partir de cette idée, ce fut une fête de mener ce livre à terme. Marc Favreau, le grand magicien des mots, était à nos bureaux à cet instant-là. Il s'émerveilla de ce projet, il le polit, il le transforma, il était devenu éditeur, auteur, distributeur, il le développa et nous étions riches et célèbres, les lecteurs par millions étaient tous charmés ; performance qui aurait valu à Sol une ovation debout au théâtre. À nos bureaux, nous étions maintenant un peu plus sûrs que notre idée était bonne et fertile.

Informé de notre projet, Alain Stanké, l'éditeur voulut participer comme auteur. Il est le père de *Québec 10/10*.

Nous sommes partis à la chasse aux textes. Les écrivains de *Québec 10/10* sont en demande. Certains jours, il y a plus de nos écrivains dans les avions que sur le sol. Quand nous avons retrouvé Marie-Claire Blais, notre date limite ne lui permettait pas de se recueillir pour préparer son texte. Marie-Claire n'écrit pas à la hâte... Alors nous sommes allés puiser dans l'œuvre de sa géniale adolescence.

Jacques Poulin parcourt l'Europe, avec un cirque. Il ne peut pas collaborer, dit-il, parce qu'il est occupé à un projet. Nous insistons, nous voulons un texte de l'auteur de *Jimmy*. Il rétorque par une magnifique profession de foi : « Si je travaille jusqu'au bout de mes forces, lentement et durant plusieurs années, il y aura quelque chose venant de mon cœur qui ira peut-être toucher le cœur d'une autre personne. » Jacques Poulin nous fait parvenir la page du roman qu'il a écrite ce jour-là. Comme par hasard, c'est l'histoire d'un amour d'enfant. Quant à Louise Leblanc, pour la trouver à Paris, il a fallu une méticulosité de détective. Du quatorzième arrondissement, le quartier d'Henry Miller, de Blaise Cendrars (et de Roch Carrier), elle se rappelle comment « l'amour lui fut révélé par une femme ».

Yves Beauchemin met la dernière

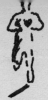

touche à son prochain roman qu'attendent des milliers de lecteurs. Nous écrivons, nous téléphonons, nous insistons, nous le torturons avec amitié. Presque sans remords. Au dernier jour, Yves Beauchemin nous apporte la merveilleuse histoire d'un enfant à qui le sol ne suffit pas. C'était le signe qu'il deviendrait un écrivain.

Victor-Lévy Beaulieu, épuisé par son travail d'écriture, a été conduit d'urgence à l'hôpital. À cet inquiétant moment, nous est parvenu son bouleversant poème. Gratien Gélinas parcourt le pays d'un théâtre à l'autre. Pourtant il est le premier à nous livrer sa confession. Nous savons d'où lui viennent sa jeunesse et sa passion. Michel Tremblay s'enthousiasme au téléphone comme un jeune écrivain pour sa première commande ! Nous nous laissons sur un gros rire. Déjà il s'amuse de l'histoire de l'ourson qu'il nous offrira. Jean Simard a le physique d'un bel athlète. Il nous fend le cœur quand il nous confie avec le sourire du philosophe : « Raconter mon premier amour redonne la vie à un vieil écrivain un peu oublié... » Mais non, vous n'êtes pas oublié, Jean Simard ! L'on aime votre *Félix* depuis que nous l'avons redécouvert dans *Québec 10/10*.

Que de merveilleux messages nous avons reçus. Clément Marchand est lu jusqu'au Danemark, grâce à *Québec 10/10*. Ce poète est le Socrate des jeunes poètes. « *Premier amour,* écrit-il, thème fécond en développements peu banals, mais, en même temps sujet périlleux puisqu'il faut y parler de soi. » Jean-Yves Soucy : « Ta commande m'a donné l'occasion d'un vif plaisir d'écriture dont je te remercie. J'ai hâte de découvrir les secrets livrés par les autres. » Claude Jasmin, le polémiste, se fait tout tendre comme le sont souvent les écrivains puissants : « Je te remercie de m'avoir amené à ce doux souvenir... Ah, la Pointe-Calumet en 1949... »

Toujours, nos auteurs avouent le plaisir qu'ils ont eu de se souvenir et d'écrire. Toujours aussi, ils se montrent curieux de lire leurs collègues.

Premier amour contient des confessions prudentes, des confessions impudiques, des confessions à mi-mots. Certains auteurs ne se découvrant totalement que lorsqu'ils sont voilés ! Roger Lemelin se livre, lui, sans masque. Lisez sa confession. Il y a là toute l'émotion d'une expérience profonde. Lisez aussi celles de Pierre Chatillon et de Pierre Turgeon, toutes aussi prenantes, même si leurs auteurs effacent leurs traces comme des chasseurs.

Même un sénateur passe aux aveux.

Jacques Hébert partage avec nous le souvenir de son premier amour. Quel plaisir de publier Jacques Hébert ! Ne fut-il pas le premier éditeur moderne au Québec ? N'a-t-il pas découvert : Marie-Claire Blais, Victor-Lévy Beaulieu, Jacques Benoit, André Major, Michel Tremblay, Pierre Turgeon, le frère Untel et tant d'autres ?

Vite, lisez Gilles Archambault. A-t-on déjà parlé de l'amour maternel avec autant de franchise et de justesse ? Découvrez Louky Bersianik : c'est un grand texte qu'on lira longtemps. Quelle vision ! Quelle force ! Lisez André Major : son premier amour sera le vôtre, vous verrez. Faites connaissance avec la Guitarine de Normand Rousseau. Lisez le savoureux Noël Audet : vous aimerez avril mais détesterez tous ces chaperons... Lisez Jacques Benoit, sa première nuit dans le lit de Louise...

Regardez notre liste d'auteurs. Quel bouquet ! Presque toute la littérature québécoise qui s'émeut de ses beaux souvenirs d'enfance.

La littérature a le don de n'avoir pas de frontière dans le temps. Nous avons convié à notre fête des auteurs qui ne vivent plus avec nous. Un ami, Jacques Castonguay, possède des papiers précieux de Philippe Aubert de Gaspé, le père de la littérature québécoise. Il a fait des recherches. À peu près sûrs, maintenant, que de Gaspé n'a rien écrit sur son premier amour, nous avons décidé de publier un extrait des *Anciens Canadiens* ; le premier ami, devenu ennemi, essaie, la paix revenue, de redire son amour. Georges Boucher de Boucherville est l'auteur de cet enlevant roman-catastrophe *Une de perdue deux de trouvées*. Nous publions un extrait d'une autre œuvre à peu près inconnue, *La tour de Trafalgar*. C'est un amour qui fait se dresser les cheveux sur la tête !

On retrouvera bientôt de la ferveur pour Ringuet, ce grand classique. Bon vivant et libre-penseur. Son neveu nous a ouvert ses archives et nous a aidés à découvrir un texte délicieux, libertin, qui n'a jamais été publié. Ceux qui avaient écrit sur son épitaphe : « romancier de la terre » devront retourner à l'école !

Claude-Henri Grignon a écrit des centaines de contes. C'est un immense territoire d'écriture qui est méconnu. Il faudra le redécouvrir sans quoi on ne peut savoir quel écrivain était Claude-Henri Grignon. Au début des années 1960, de jeunes écrivains — qu'on a appelés l'école du joual — ont voulu utiliser le langage du peuple pour

12

lui redonner possession de sa littérature. Grignon avait fait cela longtemps avant eux. Grignon utilise la langue du peuple, mais il n'a pas de mépris pour ce peuple qu'il raconte.

Dans ce purgatoire obligatoire pour tous les grands écrivains, Yves Thériault doit tout de même s'impatienter un peu. Nous imaginons même qu'il pique de temps à autre une petite colère. Sa fille, Marie-José, nous confie qu'il n'accumulait pas des textes dans ses tiroirs. Il publiait tout, dès que le texte était fini et parfois avant ! Nous vous offrons un extrait d'une émission de radio écrite par Yves Thériault : un conte en forme de dialogue. Ce texte offre une musique, une saveur, un ton disparus aujourd'hui.

Nous aurions rêvé de découvrir quelque inédit, quelque confidence secrète où Gabrielle Roy, avec ses couleurs chaudement discrètes, nous aurait peint ses amours enfantines sous le soleil des Prairies. François Ricard nous assure que rien de cela n'existe et nous suggère plutôt de publier le texte que vous lirez.

Voilà, notre travail est terminé. Ici commence votre plaisir...

Premier amour. Quel mystère ! Quelques instants, courtement vécus. Ne sommes-nous

13

pas tous un peu Citizen Kane ? À la fin d'une vie intense, nous préservons le souvenir d'un petit traîneau...

Premier amour : de leurs souvenirs, les écrivains de *Québec 10/10* ont fait un grand livre !

Merci, chers lecteurs, votre fidèle attention nous permet de donner une voix à la meilleure littérature du Québec.

Roch Carrier
directeur de la collection *Québec 10/10*

ELLE ÉTAIT BRUNE

par Alain Stanké

— *S'il n'y avait pas eu les auteurs, il n'y aurait pas eu de collection Québec 10/10 et aujour- d'hui on ne lirait pas ce centième titre !*

— *Oui mais si dès le départ il n'y avait pas eu d'éditeur pour créer cette collection, y aurait- il eu ce numéro 100 ?*

— *Il n'est donc pas déplacé pour l'éditeur de participer comme auteur à ce centième titre tout comme ses nombreux auteurs qui ont permis de façonner* Québec 10/10.

Elle était grande et brune. Je me souviens qu'elle avait le visage souriant et serein, le maintien altier, l'allure patri- cienne. Agressivement belle.

Toutes les autres femmes devant elle me paraissaient inachevées. À peine avions-nous fait connaissance que déjà elle risqua un baiser sur ma joue gauche. Surpris d'abord par autant de hardiesse de la part d'une jeune femme que je venais à peine de connaître, j'ai aussitôt souri, signifiant par là que son initiative ne me laissait pas indif- férent. Elle me sourit à son tour. J'ai cru voir aussitôt comme un lever de soleil sur un paysage jusqu'ici inconnu. Je n'avais jamais encore rien ressenti de semblable dans ma vie. Assurément c'était un coup de foudre. Sans plus attendre, après la joue gauche je lui tendis la droite (j'étais d'une famille très catholique). Elle y posa un second baiser. Encore plus tendre et plus long que le premier. Je l'embrassai à mon tour. Elle crut y voir (avec raison) une réponse à son attente, un encouragement, un appel irrésistible à aller de l'avant. Gorgé de plaisir je fermai les yeux afin de mieux savourer l'instant merveilleux. Elle posa alors délicatement sa main de fée sur ma tête et entreprit de caresser mes cheveux. Lentement, avec une infinie tendresse. J'ouvris mes yeux. Elle y plongea son regard brûlant. Je me blottis contre elle. Sa poitrine était chaude et confortable. Elle sentait bon. J'aurais voulu que ce moment délicieux dura toujours. L'état de grâce. Je ne savais pas quoi dire. Je ne connaissais aucun mot capable de traduire mon état d'âme. Tout ce que j'aurais trouvé à dire, à ce moment précis où tout chavire en vous, aurait été aussi infantile que maladroit.

Aussi me contentais-je de laisser échapper un ronronnement un peu ridicule certes, mais qui ne dénotait pas moins l'immense bonheur que je vivais.

16

La démarche qu'elle entreprit ensuite vous fera comprendre que j'avais affaire à une femme très libérée. De celles qui prennent les devants, qui accélèrent la marche du temps ou qui la ralentissent à leur guise. Que cela vous plaise ou pas, il faut se mettre à leur rythme. Pendant que j'avais encore le nez confortablement plongé dans le soleil de sa poitrine (j'étais bien raide sur un tabouret) elle entreprit de baisser mon pantalon. Je me souviens : je n'ai pas tressailli. Sursauté seulement. Visiblement elle n'en était pas à sa première expérience du genre. Mais l'idée de ne pas être son premier ne m'offusqua point. Ses gestes, très expérimentés, n'en étaient pas moins troublants pour autant. Leur précision et leur spontanéité ne me déplaisaient pas car je n'y ai ressenti aucune vulgarité. Elle savait ce qu'elle voulait. Docile, je me laissai faire. Heureux vertige de l'ivresse. Je m'abandonnais dans la confiance.

L'instant suivant vint couronner le reste. Il me procura un infini bien-être.

Pendant que mon cœur continuait de battre la forge, Yadzia (c'était son nom) avait réussi à changer ma couche.

Instant de bonheur absolu : j'avais à nouveau les fesses au sec.

C'était il y a cinquante ans. Je m'en souviens toujours.

17

Mon premier amour ! J'ai souvent pensé l'épouser. Mais à l'époque, dans le pays d'où je viens, les nobles n'épousaient pas leurs domestiques surtout pas lorsqu'elles étaient de vingt ans leurs aînées !

Aujourd'hui Yadzia (si elle a survécu à la guerre) doit avoir soixante-quinze ans...

Cela ne m'empêche pas parfois de repenser à elle et de me dire combien tous les coups de foudre que j'ai vécus par la suite ne devaient plus jamais ressembler à ce premier. Peut-être par leurs débuts autant euphoriques, irréels mais certes pas par leur finalité. Mais puisque j'en ai connu un premier, j'en vivrai peut-être un dernier ?

Si ça devait m'arriver je souhaiterais que ce fût le plus tard possible car je ne suis pas autrement pressé de devenir « pépé » et de me retrouver devant une jeune garde-malade avec mon pantalon baissé une autre fois encore pour cause... d'incontinence.

PREMIER AMOUR

par Gilles Archambault

Je n'aurai même pas l'originalité de dire que ma mère n'a pas été le premier amour de ma vie. Lorsque je songe à mon enfance, c'est elle que je revois. Je n'ai même qu'elle en tête.

La trouvais-je belle ? Je ne me posais pas la question. Ce n'est que plusieurs années plus tard que, contemplant sa photo, j'ai été frappé de la fraîcheur de ses traits. J'en ai été tout ragaillardi. Un peu comme si cette élégance rejaillissait sur moi. Quand on est né orgueilleux, tout prétexte nous est bon, j'imagine.

Lorsque j'ai appris ce que signifiait le complexe d'Oedipe, j'ai tout de suite su qu'il m'allait comme un gant. J'ai aimé ma mère et n'ai aimé qu'elle pendant longtemps. Combien de fois n'ai-je pas imaginé que mon père était injuste à son endroit ? Quoi qu'il arrive, j'étais derrière elle. Impossible qu'elle se trompe. Elle était tout simplement parfaite.

Il en allait de même pour ma vie religieuse. On ne lésinait pas en ces matières à

19

l'époque. J'avais pour la Vierge Marie une dévotion qui dépassait de très loin les sentiments que m'inspirait la figure du Christ, par exemple. Aimant plus que tout la douceur de ma mère, entretenu, protégé par elle, je m'imaginais que celle qu'on nous représentait comme la mère du Fils de Dieu avait les mêmes attributions.

À mes côtés pour un peu plus de deux ans, une jeune sœur qui mourut d'une maladie enfantine. Je fus, c'est la chronique familiale qui le veut, inconsolable. Présence féminine encore, qui me protégeait contre l'existence d'un père, à qui je prêtais d'office toutes les mauvaises intentions. Les hommes d'il y a cinquante ans croyaient à la virilité. On attendait d'eux une certaine dureté dans le ton. Mon père était un tendre qui s'efforçait à jouer le rôle qu'on souhaitait de lui.

On disait de moi que j'étais un enfant « sensible ». Ce qui veut dire que je pleurais pour un rien. Cette facilité à verser des larmes devait bien agacer un peu l'homme que ma mère aimait. D'autant que j'avais tout naturellement le sanglot émouvant. Entendez par là que ma douleur était rentrée. Mon père aurait-il trouvé devant lui un fils pleurnichant avec enthousiasme qu'il l'aurait engueulé tout bonnement. Il se serait colleté avec moi en quelque sorte. Devant un enfant

20

qui semble malheureux, qui se comporte comme une victime, comment ne pas se sentir coupable ? Sans le savoir, je l'empêchais d'établir son autorité. Ma mère intervenait alors, lui représentait que je n'étais pas un mauvais enfant. La ronde de la réconciliation était commencée.

Je n'étais bien que lorsque j'étais seul à la maison avec ma mère. Le bonheur pour moi n'a jamais été aussi présent qu'à ces moments où, mon père travaillant, je jouais ou regardais mon héroïne accomplir des tâches domestiques. Je me souviens d'un après-midi où pour une raison que je n'ai jamais sue elle avait pleuré. On était en automne et le soleil disparaissait derrière les rideaux. J'ai dit que ma mère était belle, j'ai oublié d'ajouter qu'elle était jeune. Dix-neuf ans à ma naissance. On a longtemps cru qu'elle était ma sœur. J'ai eu la chance de connaître cette douce complicité. Il devait lui arriver de se souvenir d'une enfance toute proche et d'inventer des jeux.

Nous habitions au premier étage. Du haut du balcon, je regardais les enfants qui jouaient dans la rue. Le quartier était populaire. Un jour, il fallut bien que je quitte ma mère pour me mêler à ces petits voisins. L'apprentissage ne fut pas aisé. Vite effarouché, il me semblait qu'on m'acceptait mal.

De cette époque date un malaise en société qui ne m'a pas quitté. J'attendais de ces gamins une douceur que je recevais de ma mère et dont ils n'avaient que faire probablement.

Je me souviens d'une balle molle qu'on m'avait offerte et que je m'empressai de montrer à mes nouveaux amis. Ils ne tardèrent pas à organiser une partie dans la ruelle qui jouxtait notre maison. La balle était-elle de mauvaise qualité ou l'avait-on frappée avec trop d'énergie ? En moins d'une heure elle était réduite en charpie. Or, je n'avais pas joué du tout ! À peine spectateur, floué, dépouillé. Pour me consoler, on emplit la balle de sable, m'assurant que je pourrais m'en servir de nouveau. Comment protester devant des garçons plus aguerris et plus âgés que moi ? Ma mère dut déployer des efforts d'ingénuité pour faire taire mon désarroi. Il n'est pas exagéré de dire que j'apprenais la dureté. À d'autres moments, je me suis souvenu de cette détresse-là.

Adolescent, j'ai souhaité être mieux armé contre les grands et petits malheurs de la vie. L'amour que ma mère me portait, et celui que je lui rendais, ne m'avait pas permis de me former une carapace. Je ne cessais pas de voir défiler autour de moi des gens sûrs d'eux, « bien dans leur peau ». Je sais

maintenant que la plupart du temps leur belle assurance n'était qu'épidermique.

Je n'essaie plus de lutter contre l'aspect mélancolique de ma nature. Sans l'encourager indûment, je pense qu'il représente le reliquat d'une enfance qui fut si choyée que la vie ne pouvait la perpétuer. D'autres amours sont venues, différentes, exaltantes ou non, bouleversantes ou non, qui ont continué une affaire de cœur commencée entre une jeune femme resplendissante et un enfant qui ne détestait pas pleurer.

PREMIER AMOUR

par Philippe Aubert de Gaspé

— Maintenant, reprit Arché, que nous avons évoqué tant d'agréables souvenirs, asseyons-nous sur ce tertre où nous nous sommes jadis reposés tant de fois, et parlons de choses plus sérieuses. Je suis décidé à me fixer au Canada ; j'ai vendu dernièrement un héritage que m'a légué un de mes cousins. Ma fortune, quoique médiocre en Europe, sera considérable, appliquée dans cette colonie, où j'ai passé mes plus beaux jours, où je me propose de vivre et de mourir auprès de mes amis. Qu'en dites-vous, Blanche ?

— Rien au monde ne pourra nous faire plus de plaisir. Oh ! que Jules, qui vous aime tant, sera heureux ! combien nous serons tous heureux !

— Oui, très heureux, sans doute ; mais mon bonheur ne peut être parfait, Blanche, que si vous daignez y mettre le comble en acceptant ma main. Je vous ai...

La noble fille bondit comme si une vipère l'eût mordue ; et, pâle de colère, la lèvre frémissante, elle s'écria :

— Vous m'offensez, capitaine Archibald Cameron de Locheill ! Vous n'avez donc pas réfléchi à ce qu'il y a de blessant, de cruel dans l'offre que vous me faites ! Est-ce lorsque la torche incendiaire que vous et les vôtres avez promenée sur ma malheureuse patrie, est à peine éteinte, que vous me faites une telle proposition ? Est-ce lorsque la fumée s'élève encore de nos masures en ruine que vous m'offrez la main d'un des incendiaires ? Ce serait une ironie bien cruelle que d'allumer le flambeau de l'hyménée aux cendres fumantes de ma malheureuse patrie ! On dirait, capitaine de Locheill, que, maintenant riche, vous avez acheté avec votre or la main de la pauvre fille canadienne ; et jamais une d'Haberville ne consentira à une telle humiliation. Oh ! Arché ! je n'aurais jamais attendu cela de vous, de vous, l'ami de mon enfance ! Vous n'avez pas réfléchi à l'offre que vous me faites.

Et Blanche, brisée par l'émotion, se rassit en sanglotant.

Jamais la noble fille canadienne n'avait paru si belle aux yeux d'Arché qu'au moment où elle rejetait, avec un superbe dédain, l'alliance d'un des conquérants de sa malheureuse patrie.

— Calmez-vous, Blanche, reprit de Locheill : j'admire votre patriotisme ; j'apprécie vos sentiments exaltés de délicatesse, quoique bien injustes envers moi, envers moi votre ami d'enfance. Il vous est impossible de croire qu'un Cameron de Locheill pût offenser une noble demoiselle quelconque, encore moins la sœur de Jules d'Haberville, la fille de son bienfaiteur. Vous savez, Blanche, que je n'agis jamais sans réflexion : toute votre famille m'appelait jadis le grave philosophe et m'accordait un jugement sain. Que vous eussiez rejeté avec indignation la main d'un Anglo-Saxon, aussi peu de temps après la conquête, aurait peut-être été naturel à une d'Haberville ; mais moi, Blanche, vous savez que je vous aime depuis longtemps, vous ne pouvez l'ignorer malgré mon silence. Le jeune homme pauvre et proscrit aurait cru manquer à tous sentiments honorables en déclarant son amour à la fille de son riche bienfaiteur.

Est-ce parce que je suis riche maintenant, continua de Locheill, est-ce parce que le sort des armes nous a fait sortir victorieux de la lutte terrible que nous avons soutenue contre vos compatriotes ; est-ce parce que la fatalité m'a fait un instrument involontaire de destruction, que je dois refouler à jamais dans mon cœur un des plus nobles senti-

27

ments de la nature, et m'avouer vaincu sans même faire un effort pour obtenir celle que j'ai aimée constamment ? Oh ! non, Blanche, vous ne le pensez pas : vous avez parlé sans réflexion ; vous regrettez déjà les paroles cruelles qui vous sont échappées et qui ne pouvaient s'adresser à votre ancien ami. Parlez, Blanche, et dites que vous les désavouez ; que vous n'êtes pas insensible à des sentiments que vous connaissez depuis longtemps.

— Je serai franche avec vous, Arché, répliqua Blanche, candide comme une paysanne qui n'a étudié ni ses sentiments, ni ses réponses dans les livres, comme une campagnarde qui ignore les convenances d'une société qu'elle ne fréquente plus depuis longtemps, et qui ne peuvent lui imposer une réserve de convention, et je vous parlerai le cœur sur les lèvres. Vous aviez tout, de Locheill, tout ce qui peut captiver une jeune fille de 15 ans : naissance illustre, esprit, beauté, force athlétique, sentiments généreux et élevés : que fallait-il de plus pour fasciner une jeune personne enthousiaste et sensible ? Aussi, Arché, si le jeune homme pauvre et proscrit eût demandé ma main à mes parents, qu'ils vous l'eussent accordée, j'aurais été fière et heureuse de leur obéir ; mais, capitaine Archibald Cameron de

Locheill, il y a maintenant entre nous un gouffre que je ne franchirai jamais.

Et les sanglots étouffèrent de nouveau la voix de la noble demoiselle.

— Mais, je vous conjure, mon frère Arché, continua-t-elle en lui prenant la main, de ne rien changer à votre projet de vous fixer au Canada. Achetez des propriétés voisines de cette seigneurie, afin que nous puissions nous voir souvent, très souvent. Et si, suivant le cours ordinaire de la nature (car vous avez huit ans de plus que moi), j'ai, hélas ! le malheur de vous perdre, soyez certain, cher Arché, que votre tombeau sera arrosé de larmes aussi abondantes, aussi amères, par votre sœur Blanche, que si elle eût été votre épouse.

Et lui serrant la main avec affection dans les siennes, elle ajouta :

— Il se fait tard, Arché, retournons au logis

— Vous ne serez jamais assez cruelle envers moi, envers vous-même, répondit Arché, pour persister dans votre refus ! oui, envers vous-même, Blanche, car l'amour d'un cœur comme le vôtre ne s'éteint pas comme un amour vulgaire ; il résiste au temps, aux vicissitudes de la vie. Jules plaidera ma cause à son retour d'Europe, et sa sœur ne lui refusera pas la première grâce qu'il lui demandera pour un ami commun. Ah ! dites que je puis, que je dois espérer !

— Jamais, dit Blanche, jamais, mon cher Arché. Les femmes de ma famille, aussi bien que les hommes, n'ont jamais manqué à ce que le devoir prescrit, n'ont jamais reculé devant aucun sacrifice, même les plus pénibles. Deux de mes tantes, encore jeunes alors, dirent un jour à mon père : Tu n'as pas déjà trop de fortune, d'Haberville, pour soutenir dignement le rang et l'honneur de notre maison : notre dot, ajoutèrent-elles en riant, y ferait une brèche considérable ; nous entrons demain au couvent, où tout est préparé pour nous recevoir. Prières, menaces, fureur épouvantable de mon père ne purent ébranler leur résolution : elles entrèrent au couvent, qu'elles n'ont cessé d'édifier par toutes les vertus qu'exige ce saint état.

Quant à moi, Arché, j'ai d'autres devoirs à remplir ; des devoirs bien agréables pour mon cœur : rendre la vie aussi douce que possible à mes parents, leur faire oublier, s'il se peut, leurs malheurs, les soigner avec une tendre affection pendant leur vieillesse, et recevoir entre mes bras leur dernier soupir. Bénie par eux, je prierai Dieu sans cesse, avec ferveur, de leur accorder le repos qui

leur a été refusé sur cette terre de tant de douleurs. Mon frère Jules se mariera, j'élèverai ses enfants avec la plus tendre sollicitude, et je partagerai sa bonne et sa mauvaise fortune, comme doit le faire une sœur qui l'aime tendrement.

Extrait des *Anciens Canadiens*, Éditions internationales Alain Stanké, collection *Québec 10/10*, Montréal, 1987, p. 208 à 211.

NORMANDE ET JULES

par Noël Audet

Normande portait de courtes tresses blondes ornées chacune de deux boucles qui papillonnaient au vent. Quand elle me regardait, ses yeux bleus étaient si limpides que j'avais envie d'y plonger, sans même savoir nager. Elle m'avait plu au premier contact. Je pensais « Je l'aimerai, je l'aime bien, cette fille » en faisant mal la différence des verbes et des temps. Il me semblait que depuis toujours pour toujours je suis à elle et, avant de m'endormir, je la sentais respirer à mes côtés, ses cheveux sentaient le foin, sa bouche aurait sûrement le goût des fraises !

Dans mon rêve elle n'avait qu'un défaut : son petit frère Jules, qui la suivait à la trace, qui lui collait au corps lorsque nous marchions à l'école en longeant la mer. J'inventais des stratagèmes pour l'éloigner, il ne mordait pas longtemps à l'hameçon, il se remettait à suivre.

Nous rivalisions d'esprit au premier rang, Normande et moi. « À ton tour ! » disait-elle quand je passais devant, « À ton tour ! » disais-je, admiratif et un peu jaloux, quand elle me battait d'un nez. La maîtresse nous trouvait chouettes et forçait la compétition. Nous avions trop d'affection pour tomber dans son piège.

Normande grandissait vite. Sa jupe était plus courte que celle des autres filles et dévoilait des jambes si blanches, si fragilement dessinées que j'aurais voulu lui ouvrir la marche à chacun de ses pas.

Un jour qu'elle était négligemment assise sur la deuxième marche du perron de l'école, sa jupe bâillait et laissait voir le petit triangle blanc de sa culotte. Bien que je n'aie encore rien su des naissances, ni à quoi servait exactement le désir, j'ai pourtant eu la certitude que ce petit triangle de soie tendue à craquer dissimulait la porte du Paradis. Non pas celui que vantaient les prêtres, plutôt celui des enfants d'ici-bas. J'en fus tout remué, saisi au cœur, me demandant s'il convenait de tout arrêter là, au bord du gouffre, ou de poursuivre coûte que coûte ma quête du bonheur. Au bout d'un moment, j'ai choisi de courir lui dire n'importe quoi afin qu'elle change de posture et que je puisse ainsi garder pour moi seul cette vision angélique.

Après le souper, ma mère a voulu par hasard me taquiner en demandant si je

34

m'étais fait « une petite blonde » ? Je n'ai rien avoué mais j'ai rougi comme une crevette dans la casserole. Elle a fait « Je vois ! » À son insu, elle venait de bénir mon penchant pour Normande, elle venait de nous fiancer pour toujours. Et je me suis endormi cette nuit-là en rêvant que je cognais longuement à la porte du Paradis.

Chaque midi, chaque soir, je l'accompagnais au retour de l'école. Après m'avoir envoyé la main, elle poursuivait sa route avec Jules, puisqu'elle demeurait un peu plus loin, le long du même chemin du roy.

L'automne a bercé nos tendresses, l'hiver les a confortées. Emmitouflés sous des épaisseurs de laine, empêtrés comme des robots, nous n'avions plus que des échanges d'yeux, mais quels échanges ! Dans les tempêtes surtout. Ses yeux légèrement pochés comme si elle émergeait du sommeil en permanence, son nez qui remonte, ses pommettes rouges à croquer semblaient me dire « Espère-moi, j'arrive ! » Je me rallongeais pour aller à sa rencontre, mais elle n'était pas de celles qu'on protège, elle ouvrait souvent la marche, se retournait, me souriait en se mordillant la lèvre, puis elle faisait un petit signe à Jules, pour l'encourager peut-être. D'autres fois, je prenais sa main pour une brève seconde, sans trop

35

insister, quand Jules avait le dos tourné ou que nous le forçions à marcher devant. Car je savais qu'il irait nous vendre à sa mère, à la mienne, à la maîtresse, autant dire au monde entier, et je sentais bien que cet amour-là n'avait de sens que secret : le publier nous ridiculiserait, nous amènerait vite à rompre. Jules nous accusait déjà d'être trop ensemble, trop d'accord, trop unis contre lui. Il faisait tout pour nous désaccorder.

Sur la route, il s'amusait à passer entre nous pour nous séparer le plus possible, il posait des questions idiotes pour capter l'attention de Normande, disait qu'il était fatigué, s'accrochait à sa manche, lui donnait des crocs-en-jambe en prétendant que c'était moi. Elle le repoussait tant bien que mal, à peine patiente, et continuait d'avancer courageusement. Excédé, il m'arrivait de savonner la figure de Jules avec de la neige, je lui tirais l'oreille jusqu'à ce qu'elle devienne blanche et glacée, je le plantais comme un sapin à la lisière de la forêt... il se dégageait en braillant, il rampait, mais il suivait toujours. Je lui ai même noirci un œil, je l'aurais tué pour prendre enfin Normande dans mes bras et l'embrasser. Normande a dit, à la suite de l'œil au beurre noir, « Tu y vas un peu fort avec le petit » et j'ai su qu'il

36

y avait des liens qu'on brise difficilement, fût-ce au nom de l'amour.

C'est au printemps que le drame a éclaté. En avril. Il faisait encore froid. Un jour clair comme le regard de Normande avant ces événements.

Par un curieux phénomène que je n'ai jamais revu depuis, de longues bandes de glace mince et souple, poussées par le vent du large, montaient tranquillement à l'assaut de la plage et allaient se briser en mille miettes contre le parapet de la route. Et puisque ces « laizes » de glace remontaient la pente à une vitesse appréciable, tout enfant eût inventé le même jeu : il s'agissait d'y tenir debout sans glisser vers la mer et d'atteindre ainsi le plus haut point, jusqu'à l'extase de la victoire. C'était un jeu fantastique, le tapis roulant avant son invention, le funambulisme entre deux gratte-ciel imaginaires, le cirque avec la mer comme bête fauve qui attend, en bas, la gueule ouverte ! Pour peu que le pied glisse...

Normande, Jules et moi, nous sautions à tour de rôle sur le tapis, après avoir choisi les pentes les plus abruptes, et nous les gravissions comme des dieux, sans lever le genou. La mer était cousue de laizes étincelantes, le soleil nous aveuglait, nous embrasait le cœur. C'était trop beau, nous avions tacitement décidé de manquer l'école cet après-midi-là. Normande excellait au jeu de la laize. Ses talons mordaient dans la glace, au ras de l'eau, elle ne bougeait plus d'un cil, et je la voyais passer, immobile comme une statue, portée sur la main flamboyante de Neptune.

Les choses ont commencé à se gâter quand j'ai voulu monter avec elle, serrés l'un contre l'autre, tremblant dans l'exaltation et le risque. Alors le chaperon Jules, qui avait les pieds solidement ancrés dans le sable, s'est mis à nous cogner les bottes, avec une longue perche, dans le but évident de nous faire déraper. Nous tombons, bien sûr, nous glissons emmêlés vers le gouffre. J'attrape une de ses tresses, ma planche de salut, je ferme les yeux... Normande réussit à s'accrocher au bord de la laize en se faisant une coupure à la main. Ouf ! je n'aurai pas à mourir avec elle, pas encore !

À peine remis debout, je saisis le Jules par le collet et, moitié pour jouer, moitié afin de me débarrasser définitivement de lui, je le pousse si violemment sur le tapis de glace dans le sens de la pente qu'il tombe les quatre fers en l'air, glisse, s'avance sur la mer... la mince couche de glace cède, il s'enfonce. Pauvre Jules ! Nous repêchons le gosse qui ressemble à un chat qu'on retire d'une baignoire. Je n'arrête plus de m'excuser, je ne l'ai pas fait exprès ! Pour la première fois, je vois passer dans les yeux de Normande un nuage gris. Elle demande « Pourquoi tu as fait ça ? » Nous courons porter Jules à la maison avant qu'il ne prenne en pain de glace.

Je l'aime, pourquoi cette histoire absurde ? Je l'aimerai toujours. Il me faudra sans doute apprendre à composer, à ruser avec le réel.

C'était un vendredi. J'aurai eu la fin de semaine de Pâques pour réfléchir et entendre les plus folles rumeurs : que Jules avait attrapé une terrible pneumonie ; qu'il avait failli mourir ; que sa mère avait dit, en parlant de moi, « Si jamais j'attrape le mauvais larron, je lui tords le cou ! », elle en était capable ; finalement et surtout que j'étais interdit de séjour dans sa cour et sans doute dans le cœur de sa fille.

Pendant toute la semaine qui a suivi le retour en classe, j'ai marché un mille plus un mille, chaque jour, aux côtés de Normande. Enfin seuls ! Nous ne disions rien pourtant. Les rumeurs étaient fondées. Et pendant toute la semaine elle a réussi à marcher en ligne droite sans me faire l'aumône d'un seul petit regard bleu !

— C'était un accident ! ai-je protesté, la gorge nouée, au bord de la colère devant cette injustice.

— Il y a des accidents pas beaucoup naturels, passe ton chemin !

Elle m'a enfin regardé : ses yeux étaient moins limpides, à cause de moi, son nez moins retroussé, à cause d'elle. De ses tresses elle avait fait un nid perché sur le derrière de sa tête... J'ai compris qu'un autre oiseau s'y poserait.

*

Trente années plus tard, je débarquais en Normandie où j'ai connu une femme, une fille, qui ressemblait à ma première flamme : deux yeux bleus limpides, un nez qui remonte. Elle ne portait plus de tresses. Elle avait un mari. Je n'ai pas eu besoin de le pousser à l'eau, il n'a pas cru nécessaire de me tirer à la Manche, parce que cette Normande-là, qui s'appelait Catherine, avait peu le sens du drame. Je n'étais après tout que son amant et, pour me faire rire, elle m'appelait parfois son « Jules » en me tirant les oreilles.

L'HYDRAVION

par Yves Beauchemin

J'avais cinq ans. J'aimais bien mes parents et aussi mon frère François, quoique à ma façon, qui était plutôt guerrière et me valait parfois des réprimandes. Mais j'ai connu durant cet été 1946 dans le petit village de Clova, où ma famille venait de s'établir, une expérience amoureuse nouvelle, oh, toute modeste et je dirais même minuscule, mais qui a sans doute eu beaucoup d'influence sur ma vie.

Nous venions tout juste d'emménager dans le grand semi-détaché blanc et vert construit entre le lac Deschamps et le chemin sablonneux qui longeait la voie ferrée. Mes parents, occupés à vider les caisses contenant nos effets, n'avaient pas trop le temps de tenir compte de nos états d'âme et je me rappelle la tristesse et le vide qui m'habitaient pendant que je flânais les mains dans les poches, jetant un regard critique et citadin sur ce petit village de deux cents habitants perdu dans les forêts de l'Abitibi, où l'utilisation du cheval paraissait plus naturelle que celle de l'auto.

Une seule chose avait grâce à mes yeux : les petits hydravions monomoteurs *Beaver* que la C.I.P. utilisait pour le transport des hommes et du matériel.

Le premier jour de notre arrivée à Clova, mon père nous avait amenés, François et moi, jusqu'au bout du quai contempler un de ces *Beaver* en train d'amerrir dans un jaillissement d'eau éblouissant et je revois encore l'énorme hélice de bois verni s'immobiliser peu à peu à quelques pieds de moi en émettant un curieux bruit caoutchouteux.

Je me promenais dans la cour, cafardeux et désœuvré, lorsque j'aperçois tout à coup, à demi caché sous un tas de sciure de bois (notre maison venait tout juste d'être construite), un vieux marteau oublié sans doute par un ouvrier. Un déclic se fit aussitôt dans ma tête.

Une heure plus tard, ma mère, intriguée par mon absence, me retrouvait accroupi derrière le garage à côté d'une poignée de clous rouillés, occupé à faire un assemblage de bouts de bois. Je passai toute la matinée à mon travail et vers midi, je traversais la cour en traînant fièrement au bout d'une ficelle un splendide *Beaver* fabriqué entièrement de mes propres mains : ma première création. Mon frère — qui avait

trois ans — m'observait, les mains derrière le dos, tout impressionné. Pendant deux jours, je promenai mon hydravion comme s'il s'agissait d'un jouet pour enfants riches usiné en Allemagne. Les regards amoureux dont je le couvais faisaient rire mes parents. L'hydravion passait la nuit près de mon lit et je le caressais longuement du bout des doigts avant de m'endormir.

Une nuit, je rêvai que je volais au-dessus du village, assis à califourchon sur mon appareil (et pourtant, il était beaucoup plus petit que moi). Le ciel était d'une limpidité merveilleuse, tout éclaboussé d'étoiles, et j'apercevais le village tout en bas avec une précision étonnante : l'intérieur des cheminées, les boutons de portes, un coin de cuisine ou de chambre à coucher, les fusils de cow-boys et les camions à benne qui traînaient autour des maisons et même les yeux de notre chien Bijou, couché devant sa cabane, la tête levée en l'air et qui me contemplait avec une expression d'indicible stupéfaction. Je n'avais ni peur ni vertige et j'évoluais avec une habileté merveilleuse, d'autant plus inexplicable que l'avion ne possédait pas de commandes. Je me réveillai le lendemain matin avec le sentiment d'être un héros. Je racontai longuement mon rêve à la famille durant le déjeuner, puis ensuite

43

à Bijou, qui demeura imperturbable, comme si je ne lui apprenais rien de nouveau.

Mon hydravion m'amusa toute une semaine. C'est long quand on a cinq ans. Je le réparai plusieurs fois, mais il finit par se déglinguer pour de bon et un matin, je le retrouvai flottant sur le lac devant une sortie d'égout.

Je n'oublierai jamais cet assemblage grossier de bouts de bois rugueux et de clous tordus. En le fabriquant, j'avais appris qu'un des plus grands plaisirs de la vie, c'est de tirer quelque chose de rien.

LA ROBE DE VOLUPTÉ

par Victor-Lévy Beaulieu

et se pourmène la main
et se pourmène l'œil
et se pourmène tout le corps
car quelle lointaineté déjà
que d'avoir eu cinq ans
gros bébé oh gros bébé
dans le joufflu de sa chair
ces pattes de taureau
cette poitrine de taureau
ce nez de taureau sanguignolent
à cause de l'anneau doré
qui le traversait de part en part
    ainsi étais-je dans mon plaisir
        d'enfance
    et dans mon imaginaire d'enfance
    et depuis tous ces jours-là
    qui furent pareils au premier
    puisque toujours
    je me suis conçu vu et revu
    tel qu'en mon enfance
    ce fabuleux taureau
    piochant de ses pattes de devant
    pour que la terre lui advienne
    (mais jamais rien n'existe

oh non jamais !
sinon l'exubérance
sinon l'éphémère fulgurance
du fol
du ténébreux
du premier amour)
et c'est dans le dedans de ça
que se pourmène ma main
et se pourmène mon œil
et se pourmène tout mon corps

car je n'allais pas encore à l'école
car je n'allais nulle part non plus
car j'étais juste content
que ma mère fût là
grosse
chaque jour plus grosse
pareille au taureau d'imaginaire
que je reconnaissais en moi
dans ses grosses pattes
cette poitrine
et ce nez sanguignolent
à cause de l'anneau doré
qui le traversait de part en part

et voilà pourquoi sans doute
je mangeais de la terre
et voilà pourquoi sans doute
je broutais de l'herbe
et voilà pourquoi sans doute
je tournais autour de ma mère
dès qu'elle mettait le nez dehors

elle ne portant jamais que cette robe
    de volupté
aussi réconfortante que le bleu du ciel
sauf pour les pois blancs
qui la marbraient tout partout

    et ma mère et moi
    nous étions du même bord
    de l'incohérence se rêvant
    moi taureau capricieux de cinq ans
    et elle femme grosse
    chaque jour plus grosse
    que la vie filoutait
    même dans sa robe de volupté
    dont les pois blancs
    éclataient dans le soleil
    et c'était très étrange
    quand le soleil éclatait
    puisque les pois blancs
    de la robe de volupté de ma mère
    se mettaient à voyager très vite
    dans l'espace
    (pareils à de petites flèches de
        tendresse
    qui venaient s'enfoncer
    amoureusement s'enfoncer
    dans mes pattes de taureau
    et ma poitrine de taureau
    et mon nez de taureau
    sanguignolent
        à cause de l'anneau doré
    qui le traversait de part en part)

alors (et quel alors c'était toujours !)
cette beauté des pois blancs
de la robe de volupté de ma mère
me faisait chaud dans tout le corps
et le taureau en moi
n'était plus qu'affolement du désir
et le taureau fou en moi
se mettait à courir vers la voie ferrée
qui séparait en deux les Trois-Pistoles
et le taureau fou en moi courait et courait
et la robe de volupté de ma mère
le rejoignait juste avant que
le train n'arrive
et le fumant taureau fou en moi
se perdait dans ses pattes
et se perdait dans sa poitrine
et se perdait dans son nez sanguignolent
à cause de l'anneau doré
qui lui traversait le nez de part en part

     ma mère me ramenait ensuite à la
        maison
     ma mère ne disait rien à mon père
     ma mère ne disait rien à mon père
     parce qu'elle savait que j'étais
        comme elle
     gauchi de corps et d'âme
     gauchi déjà par l'imaginaire pour
        toute la vie
     puisque le destin m'avait muni
        de ces pattes de taureau

et muni de cette poitrine de taureau
et muni de ce nez de taureau
sanguignolent à cause de l'anneau
        doré
qui le traversait de part en part

(je n'étais au fond rien de plus
qu'un petit enfant très désirant
dont la vie s'était déjà toute perdue
        derrière)
        et voilà pourquoi ma mère
        abrillait de sa robe de volupté
        le gros bébé
        dans le joufflu de sa chair

des années sans doute
des mois sans doute
des semaines sans doute
des jours sans doute
tout cela a duré l'éternité de l'espace
tout cela a duré l'éternité
de cet imaginaire chaud
venu d'une robe de volupté
aussi réconfortante que le bleu du ciel
        et puis

il faisait toujours soleil
        sur les Trois-Pistoles
et ce matin-là
ma mère grosse
toujours plus grosse ma mère
elle avait un pinceau
et elle avait de la peinture aussi

et elle barbouillait du mieux qu'elle
     pouvait
le grand escalier menant à cette vaste
     maison
que bientôt nous n'habiterions plus jamais
parce que le pays de l'enfance s'imaginant
n'a rien à voir avec le pays tout court
avec n'importe quel pays tout court

          mais me ressouvenir de la main de
               ma mère
          et du pinceau que tenait la main de
               ma mère
          léchant le bois du grand escalier
          tandis que moi
          moi gros bébé oh gros bébé
          dans le joufflu de sa chair
          ces pattes de taureau
          cette poitrine de taureau
          ce nez de taureau sanguignolent
          à cause de l'anneau doré
          qui le traversait de part en part
          je mangeais cet énorme ver de terre
          désastreusement sale et gigotant

alors ma mère affolée
pour la première fois affolée ma mère
a crié vers moi
et elle a fait aussi ce geste d'angoisse vers
     moi
et le pinceau qu'elle tenait à la main
a heurté le pot de peinture

50

et la peinture (niagara du malheur)
s'est déversée sur la robe de volupté
pour souiller à jamais la beauté
des pois blancs

    le choc fut tel
    que je régurgitai l'énorme ver de
        terre
    désastreusement sale et gigotant
    et montai les marches du grand
        escalier
    menant à cette vaste maison
    que nous n'habiterions bientôt plus
        jamais

mais c'était trop tard
il ne restait plus rien de ma mère
et il ne restait plus rien non plus
de la robe de volupté
dont les pois blancs
avaient tant de fois éclaté
rien que pour moi
dans le soleil
(que cette guenille désormais *impure*
dont je m'emparai
avant de me mettre à courir
vers cette savane toute sombre
qu'il y avait derrière cette vaste maison
que nous n'habiterions bientôt plus jamais)

    trois jours et trois nuits durant
    je ne fis que m'enfoncer dans la
        savane

pour que se perde à jamais
le gros bébé que j'étais
dans le joufflu de sa chair
ces pattes de taureau
ce nez de taureau sanguignolent
à cause de l'anneau doré
qui le traversait de part en part

quand mon père me retrouva enfin
ce ne fut que de l'enfance morte
qu'il ramena à cette vaste maison
que bientôt nous n'habiterions plus jamais
oh plus de gros bébé
        dans le joufflu de sa chair
plus de pattes de taureau
plus de poitrine de taureau
plus de nez de taureau sanguignolent
à cause de l'anneau doré
qui le traversait de part en part
puisque
en allée à jamais dans tous ses pois blancs
la robe de volupté de ma mère

cet exubérant
ce fulgurant
ce fol
ce ténébreux
et pourtant si beau
premier amour.

LOUISE

par Jacques Benoit

J'ai été élevé à Lacolle (le village doit ce curieux nom à ses sols argileux), au sud de Montréal, tout près de la frontière canado-américaine. Mon père, comme beaucoup d'autres habitants de l'endroit, était employé de l'État fédéral. Agent d'immigration, il travaillait, lorsque j'étais enfant, sur le train faisant le service Montréal-New York. Il prenait le train à son arrêt à Lacolle, en direction de Montréal, et s'occupait en route des formalités d'immigration habituelles auprès des passagers. Après quoi, toujours par le train, il revenait à Lacolle.

Nous habitions, rue de l'Église, la plus petite partie d'une vaste et ancienne demeure appartenant à des descendants de Hollandais, les Van Vleet. Depuis, la maison a été achetée par la municipalité et transformée en hôtel de ville, quoique notre logement ait été conservé et soit toujours habité.

Un bel immeuble peut-être encore plus ancien, datant de la fin du 19e siècle et construit en briques de couleur rouge feu, faisait face à la maison des Van Vleet. Le rez-de-chaussée de ce bâtiment était occupé par le magasin général Landry et Fils, lequel, selon la coutume de l'époque, vendait de tout — vêtements, produits alimentaires, articles de couture, etc. J'y allais souvent, envoyé par ma mère pour une commission. À l'étage vivait le fils des propriétaires, Paul-Émile Landry, avec sa famille.

Mes parents n'avaient à ce moment-là que deux enfants, mon frère aîné Robert et moi. Les Landry avaient de leur côté seulement une fille, Louise, dont nous écorchions le nom, mon frère et moi. « Laouise », disions-nous. Louise était âgée de cinq ans, et nous l'encadrions : Robert avait six ans et moi quatre.

Très jolie, Louise régnait sur nous comme une reine sur ses sujets, et nous nous disputions la première place dans son cœur.

Je la revois encore : les joues et le nez saupoudrés de quelques taches de rousseur, les traits ronds et bien dessinés, avec des cheveux d'un beau roux très chaud... rappelant la brique de sa demeure ! Louise était vive, gaie, enjouée, et savait parfaitement à quel point Robert et moi l'aimions.

Mon frère avait deux avantages sur moi. Il était de deux ans plus âgé — deux ans font une énorme différence à cet âge, comme on sait — et il ressemblait un peu à Louise,

54

puisque lui aussi avait les cheveux roux et quelques taches de rousseur. Mais, pour je ne sais quelle raison, Robert détestait la couleur de sa chevelure, et il gardait les cheveux constamment mouillés dans l'espoir qu'ils foncent.

Louise et lui me manifestaient parfois ce dédain des enfants plus âgés pour les plus petits. Ou encore, tout en m'intégrant à leurs jeux, ils trouvaient le moyen de rester seuls ensemble. Une fois, par exemple (l'épisode est resté célèbre dans ma famille), en jouant aux fermiers derrière la maison des Van Vleet, il fut convenu entre nous qu'ils seraient le fermier et la fermière, et moi... le coq de la ferme ! Une très grande remise, comprenant un poulailler désaffecté, s'élevait derrière la maison ; tout naturellement, à leur suggestion, je m'y enfermai, attendant qu'ils veuillent bien rendre visite à leur coq. J'attendis et attendis, et je finis, de guerre lasse, par quitter le poulailler, me grattant comme un forcené. J'étais plein de poux, si bien que ma mère dût passer des heures à m'épouiller !

Pourtant, je ne renonçais pas, malgré mes quatre ans, à gagner le cœur de Louise. Pour cela, je mettais à profit les absences de mon aîné, pendant lesquelles Louise était toute à moi.

Un de mes plus beaux souvenirs d'elle remonte à la naissance de mon frère Jean-Paul, en janvier 1945. Comme c'était l'usage dans ce temps-là, ma mère, lorsque commencèrent dans la nuit ses douleurs d'enfantement, ne quitta pas la maison, puisqu'il était entendu qu'elle allait y accoucher. Je me souviens du va-et-vient et de ses cris qui m'avaient plus ou moins tiré de mon sommeil... et puis, j'eus vaguement conscience d'être porté dans des bras d'adulte (c'étaient ceux de mon père, ai-je appris plus tard), et je me rendormis.

À cet âge, nous couchions, Robert et moi, dans le même lit simple, installé, tout au fond de notre logement, dans un large corridor qui faisait office de chambre. Le lendemain matin, en m'éveillant, je constatai avec surprise que je n'étais pas dans mon lit. J'étais dans un autre lit, avec quelqu'un d'autre que mon frère. Je m'accoudai vivement. C'était Louise, que je reconnus à ses longs cheveux. Je me souviens encore de mon plaisir, de mon émotion à me trouver ainsi avec elle.

J'avais une maladie contagieuse infantile, et, par crainte que je ne la transmette au nouveau-né, je passai quelques jours chez les Landry. Mon frère, affligé de la même maladie, était allé pour sa part chez mes

grands-parents paternels, Médérise et Donat-Thomas Benoit, qui habitaient un village voisin, Hemmingford.

En fin de journée, toutefois, j'eus une cruelle déception. La mère de Louise — elle s'appelait Marguerite — m'annonça qu'il me fallait maintenant prendre mon bain. Je crus arrivé l'instant du suprême bonheur !

« Avec Louise, hein, madame Landry ? » demandai-je en prenant l'air le plus innocent du monde.

Autres temps, autres mœurs ! Sans doute parce qu'elle lut sur mon visage l'envie que j'avais de me retrouver avec Louise dans la baignoire et craignait... pour notre vertu, elle nous fit prendre notre bain séparément.

Puis Robert, qui était plus âgé que nous deux, commença à aller à l'école. Celle-ci se trouvait rue Sainte-Marie, et c'étaient des religieuses de la Congrégation des Sœurs de Sainte-Croix qui y étaient chargées de l'enseignement. Mon frère se plaisait à l'école et obtenait de très bons résultats.

Cette année-là, j'eus donc Louise pour moi seul. Je nous revois, accroupis dans une espèce de fosse creusée devant un soupirail du magasin général, nous amusant à craquer des allumettes, l'une après l'autre, inlassablement. Ma mère fut avertie, et elle ou le père de Louise vint nous tirer de là par les oreilles ! Ou encore, jouant sans fin, près du long trottoir de bois qui menait chez moi, enfermés dans un bosquet de lilas qui faisaient cercle, et où nous avions l'impression de nous retrouver dans une maison jouet.

Quel bonheur c'était !

À *PREMIÈRE VUE*

par Louky Bersianik

À l'époque où je l'ai connue, je souffrais de cécité temporaire à la suite d'un terrible événement qui aurait pu nous être fatal à toutes les deux bien que nous ne nous fussions jamais vues auparavant. Elle s'en était tirée sans trop de mal et s'était tout de suite attachée à moi pour me sortir du labyrinthe où ma conscience, comme le soleil parfois l'après-midi entre les nuages opaques, s'éteignait et se rallumait par intermittence. C'est à elle que je dois la vie.

Dans l'espèce de coma où j'étais plongée, je savais confusément qu'elle était là, qu'elle ne me quittait pratiquement pas. Tout ce qui arrivait à ma conscience chancelante était un léger chuchotement qui allait et venait et revenait sans cesse : « Tirée du néant ! » Mais ce n'étaient que des sons sans signification autre que leur pouvoir d'incantation, on aurait dit des onomatopées de l'amour même.

Bien que ne pouvant pas la voir, je la sentais au bout de ce fil d'Ariane comme une fibre sensible de mon être, je ne l'imaginais

59

pas autrement que faisant partie intimement de moi-même. Ce qui me parvenait d'elle de l'extérieur n'était qu'une émanation de notre union encore si récente, qu'un rayonnement subtil de son être traversant mes parois comateuses et se révélant à mes yeux aveugles comme le soleil ardent sur des paupières endormies.

Parfois, elle s'éloignait. Très peu de temps, me dira-t-elle plus tard. Mais cet éloignement m'était insupportable, j'avais l'impression de tomber en chute libre. Dans ce trajet sans fin et sans fond où me poser, je faisais l'expérience du mal absolu : celui de l'absence. Pouvait-on appeler « amour » ce sentiment violent pour une personne presque inconnue ? Elle devait me l'apprendre, ce sentiment, elle le partageait. De façon aussi totale, aussi exclusive.

Je n'avais aucun moyen de la rejoindre, car j'étais encore incapable de me lever. Des mains — qui n'étaient pas toujours les siennes — m'extirpaient du lit, me transportaient avec précaution, me déposaient. Je souffrais encore beaucoup et de tout et je ne cessais de geindre. Quand elle se rapprochait, je savais que c'était elle et nulle autre. Même sans le son de sa voix, je pouvais la reconnaître. Sans même le bruit de son pas. Un frôlement d'air, l'aire de son souffle, l'opacité de sa présence, puis, un chuchotement. Je me sentais enveloppée soudain de ses propres pensées comme dans un réseau de fines racines où l'usage de mes sens, mon équilibre, me devenaient accessibles, pouvaient croître rapidement. J'étais entourée de ses bras, soulevée par elle de ce lit où je n'étais encore qu'une matière inerte.

« Te tirer du néant » et la matière inerte commençait à s'animer, des mouvements incohérents des mains et des pieds indiquaient que ma vie reprenait sa fluidité entre les doigts de celle qui me tenait si proche de la sienne. Je passais beaucoup de temps à rêver. À l'eau sous toutes ses formes et dans tous ses repaires, aux couleurs, au nid perché dans les branches bleutées qui veinaient l'étendue du ciel passant au travers. Je questionnais les astres. Pourquoi avions-nous pris ce grand bateau et avions-nous eu l'audace de nous lancer sur l'océan ? Il y avait un traître parmi nous, on disait que ce n'était qu'un enfant. Il avait limé les bords de l'embarcation et détaché le fond. Il nous a fallu plonger dans les vagues qui allaient et venaient autour de nous comme au ralenti. La perspective d'un plongeon m'angoisse. La mer est si profonde. Aurai-je le temps d'émerger à la surface avant d'être asphyxiée ? Est-ce que je ne serai pas attirée irrésistiblement vers le fond ? Je suis la dernière. Je plonge avec succès. Mais, ai-je appris plus tard, seul mon corps a plongé, s'est perdu. Ma tête est sauve !

J'entrais dans le temps mesurable, j'avançais dans la voie des rêves comme dans l'amorce d'une réalité future. J'avais mon corps à repêcher, à hisser au niveau des vagues. Je croyais être dans le secret des dieux mais c'était beaucoup plus étrange encore, beaucoup plus important. Le ciel se soulevait, poussé par l'épaule d'une houle invisible à travers un rideau d'embrun, des vagues d'étoiles se mettaient à onduler comme des filets d'oiseaux migrateurs aux mailles toutes de densité et de souplesse. Et ces étoiles ou ces oiseaux se mettaient à crever comme des grains de maïs dans l'huile bouillante, ça pétaradait, ça bondissait, crépitait, et ça retombait en gros ballons brillants, un instant gonflés à bloc et tout aussitôt dégonflés, refroidis, légers, sans malice, un peu gras, un peu gris, sans poids et sans impact, sans mesure.

Puis, les terres du ciel se mettaient à fendre, à éclater comme du verre, le transparent devenait opaque, le brillant ternissait, ces mille morceaux empruntaient toutes les formes géométriques et d'immenses cônes de granit venaient atterrir sur des formes humaines de passage, réduisant leur crâne en miettes. Je regardais, j'épiais, survivais, sauvée entre mille, passais entre les gouttes et les météorites, je riais car j'étais plus que dans le secret des dieux.

Rescapée avec moi de mes rêves, elle posait ses doigts sur mon front, le lissait, y traçait des volutes et les lettres d'un nom, toujours le même, un message que je ne déchiffrais pas encore. Elle posait sa bouche sur la commissure de mes lèvres et la laissait là, non pour me respirer, mais pour m'insuffler la vie, et pas seulement la vie, mais une qualité de vie à laquelle je n'aurais osé prétendre dans l'état où j'étais. Que pouvais-je lui donner en échange, sinon cette inaptitude à vivre et à mourir, même au milieu d'elle et dans ses bras ?

Elle caressait ma joue et m'attirait vers elle. J'entendais chanter les parfums mêlés d'une source chaude et, bien que proche, le chant semblait venir de très loin. Je ne pouvais qu'écouter cette source sans chercher à m'imbiber de son ruissellement. Bientôt, j'eus la conviction que cette source jaillissait d'elle et je m'y précipitai avec fougue. Elle me laissa la boire à l'infini. Je la buvais tout entière car elle était source et chant de partout.

Elle caressait ma tête lentement, parfois

à rebrousse-poil, j'avais alors les cheveux ras. Indescriptible sensation. Sa main, sa longue main sur mes poils, le mouvement imperceptible de ses doigts, parfois un ongle chatouillant mon cuir chevelu. Seulement cela et c'était une extase sans fin. Je la regardais sans la voir. Ses deux mains mettaient mon corps à nu et le couvraient tendrement, m'indiquant par de douces pressions où il commençait et où il se terminait. C'était l'extase. J'ouvrais les yeux sur une lumière éblouissante, où je distinguais seulement l'ombre de son visage. J'aurais donné tous mes rêves pour apercevoir ses traits.

Mais je sus très vite qu'elle était belle, et même la plus belle de toutes. Mes doigts s'étaient déliés, le mouvement de ma main se fit plus cohérent, je cessai d'être agitée pour entrer en action, une action calme, dirigée, consciente, bien pesée : j'appris à la connaître du bout de mes doigts, j'appris les reliefs et les creux de sa surface, les événements de sa peau.

« Toi, te tirer du néant », et j'appris tout cela aussi du bout de mes lèvres et parfois à pleine bouche. Ma connaissance d'elle se perfectionnait de jour en jour — mais n'était-ce pas plutôt d'heure en heure — à mesure qu'elle me tirait du néant, que je sortais de

64

ma léthargie. J'aurais donné mon existence pour la voir, ne fût-ce qu'un instant.

Cet instant me fut donné sans que j'aie moi-même à donner quoi que ce fût. J'ouvris les yeux encore une fois et je fus plongée dans une lumière verte ondoyante et je vis son visage, l'eau verte de ses yeux et cette plume soyeuse qu'était son regard. Elle était semblable au portrait d'elle que j'avais dans les lignes de ma main, de cette main minuscule à peine lignée parce que venue au monde depuis trois jours à peine.

PREMIER AMOUR

par Marie-Claire Blais

Marie-Claire Blais était absente alors que nous préparions ce livre. Elle nous autorise à reproduire un texte de jeunesse alors qu'elle n'avait pas 20 ans. Elle avait en pensée en l'écrivant, un homme dont elle ne sait plus ce qu'il est devenu. « Que cet amour est candide et fugace, dit-elle aujourd'hui à côté de la perception que j'en ai maintenant... comme je me sens modeste en relisant ce texte... »

Dans la vie, je ne sais pas où est ma place. Yance, auras tu pitié de moi ? Me laisseras tu partir ?

— Tu partiras comme tu le veux.

Elle entend tout.

L'été des seize ans... j'ai serré tes genoux entre mes doigts. Ce geste qui signifie pour moi le premier effeuillement d'un corps. J'ai effeuillé tes genoux, Yance. J'ai goûté à tes muscles avec mes doigts tendus. La femme qui a été aimée sait beaucoup de choses. L'homme qui a aimé est soudain frappé d'une lumineuse déchirure charnelle comme la faim.

Elle m'a amené à l'Île Noire pour savoir comment ressuscite un homme tué. Je n'étais pas complètement absent. Je la regardais vivre parfois. Et je vivais avec elle, pour lui plaire, à ce rythme inconnu de moi-même.

Ma folle amie avait une espérance insensée comme la mer. Je lui donnais mes évasions, en échange. Pourquoi me suis-je attaché à elle ? À ses pas ? À ses dents captives dans un baiser ? J'ai cru ne plus jamais redevenir le garçon de cendres que je suis, imprécis, avorté au fond de lui-même, à la fois désespéré et rieur.

J'ai pensé : « Prends la femme de chair et de sang. » Je l'ai prise dans les bois, sur le sable, sur les rochers, je la possédais partout et elle cédait, abandonnée à tous les naufrages. Pourquoi serait-elle à moi, cette petite fille dorée couchée à mon flanc ? Pourquoi en être le ravisseur éternel ?

Au bout de nos deux routes différentes, je sais qu'elle sera là, peut-être dans vingt ans, peut-être dans dix ans, les bras ouverts... Et je l'aimerai enfin.

— Ouvre les yeux, regarde-moi.

Courageuse amante, c'est avec cet amour de chair qu'elle lutte et veut me soutenir dans ma faiblesse. Elle se lève. Son pas écrase le brouillard de mes pensées. Oui, qu'elle vienne à moi.

— Bois.

Je sens ses doigts contre ma joue humide. J'aime ses doigts. Elle le sait. Je respire le parfum d'encre de ses doigts. Elle a chassé la fièvre de mon corps. Elle veut me donner le soleil d'une pensée.

L'été inachevé. L'amour inachevé. L'Île Noire était un pays jeune à notre mesure. Les grandes villes honteuses dormaient à l'intérieur de nos peines. Les villes ouvrières. Et les villes sensuelles qui ne devraient vivre que la nuit. L'Île Noire était l'Île du Jour.

Elle embrasse mon front. Puis mes lèvres. Je la désire d'un désir obscur qui ne me pèse pas. Et elle pleure. Il ne faut pas. Habitue-toi à penser que je pourrais ne plus exister. Je n'ai pas pris l'habitude d'être. Oh ! Sois sage, essuie tes larmes du bout de tes cheveux, mon pauvre roseau déchiré !

Oui, nous avions cette île et des maisons abandonnées et des bois et des petites plages parfumées où tu dormais dans mes bras. Tant et tant d'oiseaux sur cette île ! Je me rappelle. Le matin, tu te roulais dans le grand lit blanc et tu chantais une chanson du désir, entre les dents :

Mon ami a endormi ma taille dans sa main droite
Mon ami a cueilli mes épaules...

Chante. Chante. Nous descendions nus à la grève et je prenais ta nuque entre mes doigts au moment où tu commençais à penser à autre chose qu'à moi. Et je te prenais, toi, au moment où tu pensais trop à moi. Chante. Chante, Yance. Autrefois, ce n'était qu'une enfant aux seins vides et au ventre mince qui chantait la chanson de la femme ! Je la revois là-bas, chaude comme le sel sur les pierres, comme l'empreinte de son coude dans le sable incendié.

— Et les méduses...

Chante, Yance.

Je revois Yance. Cheveux courts, cou trop long qui m'éblouissait de jolis mouvements. Cou d'enfant orgueilleuse. Elle était là, réservée, sage et franche dans sa dignité un peu animale. Elle fixait ses secrets sur la ligne du soir, elle regardait mourir les algues.

Je la revois agenouillée sur l'herbe, l'après-midi. Femme qui coud, femme qui médite sur un vêtement parfumé. Et cette chemise, parfois, elle la presse sur son cœur, sans trop savoir ce qu'elle fait. Ce geste avait pitié de moi. Yance, je vous vois danser près de la lessive nouvelle, Yance, vous m'embrassez respectueusement après l'amour et vous êtes si vibrante que je sens soudain toute la merveille tressaillante que je vous fais porter. Tu m'aimes.

70

Lui parler. L'impossible parole. Je ne
trouve plus l'équilibre des mots. Elle attend.
Je voudrais mordre sa bouche pour en tuer
le goût qui me poursuivra. Vite, ferme les
yeux Yance.

Je te quitterai demain.

Extrait de *Le jour est noir*, Éditions internationales
Alain Stanké, collection *Québec 10/10,* Montréal,
1979, p. 72 à 75.

LA JALOUSIE

par Georges Boucher de Boucherville

Le timbre du cadran venait de sonner six heures et demie. Les prières de la neuvaine étaient finies depuis longtemps ; les longues files des fidèles avaient circulé avec lenteur, et s'étaient écoulées silencieuses dans les rues. Léocadie seule était restée dans le temple du Seigneur. Elle s'était humiliée aux pieds du prêtre pour lui faire l'aveu de ses fautes. Dans ce moment un jeune homme, grand, bien fait, de 25 ans environ, entra dans l'église. C'était d'ordinaire l'heure à laquelle il s'y rendait, non pas tant pour prier Dieu que pour jouir du spectacle, vraiment grand, que présente un édifice immense qui se voile des ombres de la nuit. Une lampe brûlait immobile au milieu du chœur, et sa lumière vacillante se reflétait pâle sur l'autel. Le silence de mort religieusement solennel qui régnait alors, l'ombre des piliers qui se dessinait sur le fond grisâtre des murs, et qui s'évanouissait, comme des fantômes, dans les voûtes ; tout, jusqu'à l'écho même de ses pas, avait pour lui un charme, un attrait indéfinissable. C'est

73

là, au milieu des objets qui partout vous présentent l'image d'un Dieu, où votre âme enveloppée d'une essence divine s'élève à la hauteur de son être, et contemple dans son vrai jour les œuvres du créateur ; c'est là que lui, il aimait à rêver à l'amour et à ses brillantes illusions. Longtemps il était resté plongé dans une méditation profonde, quand il en fut tiré par l'apparition de quelque chose qui se mouvait dans le haut de l'église ; et un instant après, il aperçut comme un objet blanc qui s'enfonça et disparut derrière l'autel. Il s'avança doucement et distingua une jeune fille à genoux sur le marchepied de l'autel. C'était Léocadie. Elle était revêtue d'une longue robe de lin ; un ruban de couleur de rose dessinait sa taille svelte et légère. Oh ! qu'elle était belle en cet état ! On l'eût prise pour un de ces êtres célestes, une de ces créatures immortelles, telle que l'eût forgée l'imagination des poètes. Sa tête aux longs cheveux d'ébène, pieusement inclinée vers le tabernacle, annonçait que sa prière était finie. Elle se leva majestueuse, et d'un pas léger traversa la nef et sortit. Le lendemain, il la revit, simple et modeste, au milieu de ses compagnes ; et il conçut pour elle un amour fort et violent comme la passion qui l'avait fait naître.

Dix-sept ans, une figure douce et spirituelle, des manières agréables, une assez jolie
fortune, avaient fait de Léocadie la personne
la plus intéressante et le meilleur parti de la
Côte-des-Neiges, où elle demeurait avec sa
vieille tante. Oh ! Léocadie, pourquoi l'as-tu
connu ce jeune homme ?... Tous les jours il
se rendait chez la tante de Léocadie, et de
plus en plus il attisait dans son sein ce feu
dévorant, qui, comme un volcan embrasé,
devait un jour éclater terrible pour eux deux.

Il y avait déjà près de trois mois que
l'étranger fréquentait Léocadie ; il lui avait
fait un aveu de sa flamme, de la passion qu'il
ressentait pour elle. Et Léocadie était trop
bonne et trop sensible ; elle savait qu'elle lui
ferait de la peine en lui disant de ne plus
revenir ; et elle n'osait lui dire « qu'elle ne
pourrait jamais l'aimer ; que son cœur à elle
ne lui appartenait plus, qu'il était pour un
autre »... Ah ! que ne l'a-t-elle dit dès les
premiers jours ; que ne l'a-t-elle renvoyé
aussitôt qu'elle l'eut connu : et qu'elle eût
épargné de pleurs et de remords !... Avec
son amour, une jalousie avait germé épouvantable dans le cœur de l'étranger. Il ne
pouvait souffrir que quelqu'un parlât à
Léocadie. Sans cesse obsédée de ses impor-
tunités, elle déclara un soir à sa tante qu'elle
ne voulait plus le voir, et la pria de le lui

75

dire. Oh ! comme il en avait coûté à son cœur de faire cette réception à l'étranger. Si elle n'eût consulté qu'elle seule, peut-être ne l'eût-elle pas fait ; mais son devoir l'y obligeait ; c'est à ce devoir qu'elle obéit.

Dès que l'étranger eut appris de la tante de Léocadie que c'en était fait de ses espérances, qu'il ne la reverrait plus jamais ; dès ce moment il jura dans son cœur, dans son cœur d'enfer, de se venger de celle qu'il avait tant aimée, mais que, en ce moment, il sacrifiait à sa fureur et à sa jalousie. Il avait juré de tirer une vengeance épouvantable, et il ne songea plus dès lors qu'à préparer les moyens de consommer son abominable dessein. Et Léocadie, toujours innocente, toujours calme au milieu de l'orage qui se formait sur sa tête, ne pouvait pas même s'imaginer qu'on pût lui vouloir le moindre mal, tant la haine et la vengeance étaient une chose étrangère à son âme.

En partant, l'étranger avait voulu voir Léocadie, et il lui avait dit avec un air de froide ironie :

— Regarde le soleil, comme il est rouge ; il est rouge comme du feu, comme du sang, oui, comme du *sang qui doit couler*.

Et il l'avait quittée brusquement.

Cependant celui qu'elle aimait, celui que son cœur avait choisi parmi tous les autres, s'était approché de Léocadie. Et lui aussi, il lui avait déclaré son amour ; et il était payé du plus tendre retour. Depuis deux lunes ils s'étaient confié leur tendresse mutuelle, et les nœuds sacrés de l'hymen devaient bientôt les unir de liens indissolubles. Deux lunes s'étaient écoulées paisibles, sans qu'ils eussent entendu parler de l'étranger, qui pourtant ne cessait de veiller avec des yeux de vautour sur le moment de saisir sa proie.

Par un beau dimanche, après la messe, Léocadie et son amant partirent ensemble pour aller se promener à la montagne, et jouir du frais sous les arbres au feuillage touffu. Ils cheminaient pensifs. Léocadie s'appuyait languissamment sur le bras de Joseph (c'était le nom de celui qu'elle aimait) ; et tous les deux, les yeux attachés l'un sur l'autre, ils gardaient un silence profond, mais qui en disait plus que les discours les plus passionnés ; tant le langage du cœur a d'expression pour deux âmes pures qui sympathisent et s'entendent. Oh ! comme le cœur de Léocadie battait rapide sous le bras de Joseph, qui la soutenait avec délices, avec transport. Oh ! comme il était heureux, Joseph, quand Léocadie lui disait avec sa charmante expression de naïveté :

« Ah ! si tu savais comme je t'aime. » Et cependant les heures fuyaient nombreuses, et ils n'étaient encore arrivés qu'au pied de la montagne. Ils mesuraient leurs pas sur le plaisir et le bonheur de marcher ensemble. C'est ainsi qu'ils se rendirent jusqu'à la petite tour ; et quand ils y arrivèrent, Léocadie était fatiguée. Elle voulut s'asseoir sur la verte pelouse, à l'ombre d'un tilleul dont les rameaux s'étendaient nombreux, et formaient comme un réseau qui arrêtait les rayons du soleil. La tiédeur de l'atmosphère, tout en énervant les membres, répandait dans les sens cette molle langueur, ce je ne sais quoi qui coule avec le sang dans les veines, et donne à tout notre être cette volupté délicieuse qui amollit le corps et dilate l'âme, alors qu'elle nous plaît et nous embrase. Joseph, penché sur le sein de sa fiancée, aspirait l'amour avec le parfum des fleurs. Léocadie, elle, était préoccupée. Ses deux grands yeux erraient distraits autour d'elle. Au moindre bruit elle tressaillait. La chute d'une branche, le friselis d'une feuille lui causait une émotion pénible, dont elle ne pouvait s'expliquer la cause. Évidemment il y avait quelque chose qui l'inquiétait ; et Joseph ne savait qu'en penser ; son cœur à lui, bon et sensible, souffrait de la voir en cet état.

— Ô ma Léocadie, lui disait-il, en lui serrant la main, qu'as-tu ? dis-moi ce qui cause ton agitation. Craindrais-tu quelque chose avec moi, avec ton Joseph qui est là, à tes côtés, qui veille sur sa bien-aimée ?

— Mais je n'ai rien, moi ; je ne vois pas où tu prends que je suis agitée.

Et tout en assurant qu'elle était tranquille, elle jetait tremblante la vue de tous côtés.

— Ah ! Léocadie, je vois bien que quelque chose t'occupe, mais tu veux me le cacher ; tu crains de me le dire, je croyais que tu m'aimais plus que cela.

— Eh bien ! regarde, dit-elle, regarde le soleil ; vois-tu comme il est couvert d'une teinte rougeâtre ; c'est ça qui m'inquiète. Je n'aime pas à voir le soleil rouge, il me fait peur.

— Ah ! folle, laisse cette idée ; c'est un enfantillage ; voyons, ne t'en occupe plus.

Et Léocadie, comme si elle eût eu honte de sa peur, s'était caché le visage dans ses deux mains. En ce moment ils entendirent derrière la tour comme des pas d'homme, dont le son vibra affreusement sur chacune des cordes de l'âme de Léocadie. Joseph n'y fit point attention ; et Léocadie sembla ne pas le remarquer, pour ne lui causer aucune inquiétude. Cependant, comme s'il y eût eu quelque chose qui agissait là, dans son âme, dans son âme prévoyante de quelque malheur, elle se retourna vers Joseph.

— Viens, lui dit-elle, je veux partir d'ici, je ne suis pas à mon aise. Ah ! viens-t'en. — Et elle voulait l'entraîner avec elle.

— Avant de partir, entrons du moins un instant dans la tour, avait répondu Joseph.

Comme ils mettaient le pied sur le seuil de la porte, un nuage passa rouge sur le disque du soleil ; et une ombre, une ombre de mort se répandit sur le visage de Joseph. À cette vue, Léocadie tressaillit, et une larme roula brillante sur sa joue. Joseph l'essuya, sourit et se penchant sur le front de Léocadie, il lui donna un baiser. Au même instant, et comme si ce baiser eût été le signal que le monstre attendait pour exécuter son crime, il se précipite, rapide comme la foudre, sur ses deux victimes. Léocadie a reconnu l'étranger. Un couteau brille à sa main. Elle se rappelle le soleil de sang, jette un cri, pâlit, et tombe sans connaissance et sans vie aux pieds de son assassin qui l'a frappée au cœur. Joseph s'est élancé sur lui. Il est sans arme, mais il veut venger Léocadie, ou bien expirer avec elle, elle qu'il aimait plus que sa vie. Une lutte s'engage

violente, l'étranger enlève Joseph dans ses bras nerveux, et le terrasse sous lui. Un genou sur sa poitrine, il le saisit à la gorge. Le malheureux fit de vains efforts pour se débarrasser des serres de fer qui l'étranglaient. Ses yeux roulaient convulsivement dans leur orbite, ses nerfs se raidissaient et tous ses membres se tordaient affreusement. L'assassin ne lâcha prise qu'après que le râle creux de la mort l'eut assuré que sa vengeance était satisfaite...

Extrait du *Répertoire national* de James Huston, Montréal, J.M. Valois, éditeur, 1893, Tome I, p. 313 à 318. Il y a bien d'autres histoires d'amour dans *Une de perdue deux de trouvées*, collection *Québec 10/10*.

AMOUR PREMIER

par Roch Carrier

Avant, je crois bien que c'était comme ce sera après.

Tout à coup je m'aperçus que j'étais. Tout petit, invisible, laid comme un pou, mais j'étais ! Un spermatozoïde, qu'ils m'ont appelé. J'étais parmi des millions, qu'ils m'ont dit. C'était bien. J'ai toujours aimé la foule.

Je naviguais dans la nuit. Je volais, sans pesanteur, n'importe comment, la tête en bas. Jamais je n'étais allé aussi loin. Je ne voyais rien. Pourtant je n'avais jamais rien vu d'aussi beau. J'étais tout à fait heureux : comme on peut l'être dans le ventre de sa mère. Heureux comme beaucoup plus tard je serais, les deux pieds dans l'eau de la mer au bout de l'Australie.

Monsieur Spermatozoïde était un célibataire heureux, un poète un peu ivre. Je vis paraître, dans les environs, Mademoiselle de l'Ovule, coquette, une couventine un peu guindée. J'étais déjà timide comme je le serais plus tard avec les jeunes filles. Et comme je ferais plus tard, paralysé par ma timidité, j'étalai des manières de don Juan.

Mademoiselle de l'Ovule fut séduite, je fus conquis. Oh, si j'avais eu un front, quelle rougeur y aurait monté !

À partir de ce moment, tout m'est arrivé. Moi qui n'étais rien, j'étais devenu quelqu'un. J'avais été seul ; maintenant nous étions deux. Sans doute à cause de nos petits jeux de «touche-moi », de «serre-moi fort », d'« embrasse-moi », Mademoiselle de l'Ovule et Monsieur Spermatozoïde commencèrent à se gonfler. Nous n'étions plus qu'une seule bestiole avec nos petites pattes tout autour. Nous avons tous les deux décidé que nous dirions « je » et que les adjectifs nous qualifiant s'accorderaient au masculin.

Il y avait un si grand plaisir à grossir. Ma mère se plaignait. Son ventre bombait. Elle s'inquiétait. Les femmes n'aiment pas être grosses : pourtant, je l'apprendrais plus tard, tout le monde veut grossir : les villes, les entreprises, les armées, les avions, les églises, et autres inventions. « Où est-ce que je vais le mettre ? » se demandait ma mère en palpant son abdomen d'institutrice qui marchait neuf kilomètres pour se rendre à son école et qui, arrivée, devait sauter à la corde avec les fillettes.

Moi aussi, je prenais de l'expansion. J'étais nourri, j'étais abrité. J'étais heureux

comme un poisson dans l'eau. Plus tard, j'aurais des rêves socialistes. « Pourrait-il y avoir meilleur gouvernement qu'une mère ? » déclarerais-je dans une entrevue pour un grand magazine. Des socialistes n'aimeraient pas ma pensée. On ne peut faire de la politique et de l'humour.

Puis j'ai subi toutes sortes d'avatars étranges. Tout à coup, je n'étais plus moi-même, mais une espèce de têtard. Moi, qui avais été jusque-là un prince des ténèbres, allais-je devenir une grenouille ? Je n'étais plus très heureux. Seules les grenouilles doivent être contentes d'être des grenouilles. Quelque temps auparavant, je n'étais qu'un grain de sable ; je devins aussi gros qu'une fraise, qu'un citron, qu'une brioche, qu'un gros pain.

Les transformations se multiplièrent. Des griffes sont apparues au bout des pattes de lézard qui m'étaient poussées. Des petits trous se sont ouverts sur les côtés de mon crâne et sur le devant. Mon visage ressemblait à une pomme de terre. Ma tête s'enflait, s'enflait. Je n'étais pas beau.

Plus tard, je verrais en Amazonie des iguanes et j'aurais une impression de déjà vu. Heureusement que j'étais encore invisible à ma mère. Elle aurait eu peur.

Elle ne sortait plus, elle restait assise dans sa berceuse. Moi, je m'ennuyais. J'aurais voulu me balader en auto, voir le pays, les églises, les fermes, les troupeaux, les villes et les enfants qui avaient le droit de jouer dehors.

Je n'étais qu'un petit monstre, prisonnier dans son bocal aux parois opaques pour n'être exposé à la vue de personne.

Avec tout ce qui me poussait sur le corps comme des champignons, même entre mes jambes, et avec cette tripe que j'avais branchée sur le nombril, semblable à celle des astronautes que je verrais plus tard à cap Kennedy, je ne méritais pas d'être exposé en vitrine.

Plus tard, je lirais la *Métamorphose* de Kafka : ce qui est arrivé à Grégoire Samsa est moins pire que ce que j'ai subi.

Il faisait noir là-dedans ! Ma mère écoutait à la radio ses chansons d'amour qui coulaient comme du miel. Ça me dérangeait. On ne pouvait même pas danser. J'étais seul. Dans le ventre de ma mère, il y avait toujours une espèce de silence grondant, comme plus tard je retrouverais dans un sous-marin, quelque part sous les glaces éternelles.

Si j'osais bouger, je me heurtais à la paroi

du ventre de ma mère. Elle était devenue très grosse, mais elle était à peine assez grosse pour me contenir. Pour dire toute la vérité, j'étouffais là-dedans. Pas moyen de crier, pas moyen de m'étirer les bras, pas de place pour me dégourdir les jambes. J'étais seul comme cet ermite que je trouverais, plus tard, au fond de sa grotte dans une montagne perdue du Tibet.

J'entendais de mieux en mieux, malgré l'écho sonore. Je compris qu'il n'y avait pas, à l'extérieur, que les chansons à la radio de ma mère. Mon père parlait de routes, de politique, de gouvernement, de crise économique, de villes, de magasins, de pays étrangers, de pêche, de chasse. Ma mère parlait de livres, de fiançailles, du bon Dieu, du paradis.

Dans ma nuit liquide, je ne perdais pas un mot. Je ne comprenais pas toujours, mais j'étais fasciné par tout ce qui me venait de l'autre côté, là où ce n'était pas toujours la nuit.

Je ne pouvais plus rester dans ce sac. Je décidai de m'évader. Je commençai à gesticuler, à cogner, à pousser, à foncer, à pilonner, à charger, à bûcher, à sabouler ; j'attaquai de front et j'arrivai dehors sur une planète inconnue.

J'ouvris la bouche ; quelque chose y entra, meilleur que le champagne que je dégusterais plus tard. C'était l'air de mon village, tout parfumé de l'odeur chaude du pain frais que les femmes cuisaient à l'époque. Je sentis mes poumons se gonfler comme la voile du sampan qui me porterait, plus tard, dans le golfe de Siam.

J'avais rencontré mon premier amour : la Vie !

LE CŒUR DOUBLE

par Pierre Chatillon

— *J'ai promis d'écrire, pour un livre qui doit paraître dans la collection* Québec 10/10, *un texte racontant l'histoire de mon premier amour, dis-je à mon ami Maurice, un jour que je passais le saluer à son atelier de peintre. Mais l'échéance approche et j'arrive mal à rassembler de façon cohérente mes bribes de souvenirs.*

— *Si cela ne t'ennuie pas trop, répondit Maurice, je peux te raconter, moi, dans quelles circonstances singulières s'est effectué l'éveil de mon cœur... ou plutôt de mes cœurs.*

On était en septembre. Je venais d'avoir 13 ans. J'entrais au collège classique, tout impressionné par mon pantalon gris et mon blazer bleu foncé orné, sur la pochette gauche, d'un écusson armorié.

Je croisai un jour deux jeunes filles qui revenaient du collège des Sœurs. Je les connaissais un peu. Elles habitaient tout près de chez moi. Mais il me sembla que je les voyais pour la première fois. Il faut dire qu'elles étrennaient avec fierté leurs costumes de couventines. Je fus comme

89

aveuglé par leur beauté. Elles avaient toutes deux 12 ans. Portaient toutes deux leurs cheveux relevés derrière la tête en queue de cheval. Inséparables comme les fillettes le sont souvent à cet âge. Mireille était blonde, rieuse, exubérante. Lucie noire, discrète, avec de très grands yeux rêveurs.

Tout le monde connaît la maladresse célèbre de Cupidon, ce pitoyable archer. Il fut, ce jour-là, à la hauteur de sa réputation. Il décocha deux flèches du même coup et je tombai amoureux des deux amies.

Je passai bien des nuits à rêver d'elles, ne pouvant penser à l'une sans penser à l'autre. Le soir, après les cours, nous partageâmes divers jeux, au sein d'un groupe d'adolescents et, lorsque nous devînmes plus familiers, les deux jeunes filles, pour comble, s'éprirent l'une et l'autre de moi. Comment te raconter cette délicieuse confusion amoureuse faite de baisers furtifs, de grands émois éprouvés à toucher une main ? Confusion ? Non, mais plénitude. Et si comblante que j'allais ensuite être condamné à la rechercher toute ma vie. Mireille était le jour, Lucie la nuit, Lucie la lune, Mireille le soleil. Mireille était le feu. Lucie était l'eau. J'éprouvais, en leur compagnie, l'impression d'appartenir à un monde idéal où se seraient dissipées toutes les antinomies, un

90

monde placé sous le signe de l'harmonie.

Le père de Mireille possédait un restaurant, ce qui nous donnait le privilège, parfois, d'aller boire gratuitement un ice-cream soda dans lequel nous plongions en même temps nos trois pailles. Je me souviens avoir acheté pour chacune de mes deux amies un cœur en chocolat décoré de petites fleurs rouges. Mireille me donnait des baisers, sur le trottoir, en plein soleil. Lucie m'effleurait des lèvres dans les coins d'ombre et me fit le cadeau, un soir, d'une boîte de fudge. Je les revois encore avec leurs jupes à plis creux et leurs blouses à col de marin : nous nous couchions sur le tapis du salon pour lire des bandes dessinées. Mireille s'allongeait à ma droite, Lucie à ma gauche, comme de belles chattes, et nous passions des heures ainsi dans la chaleur de notre bonheur. Je me disais parfois : « Qu'est-ce qui m'arrive ? Ai-je deux cœurs ? » Le temps de démêler cette énigme et il était trop tard : mon premier amour, hélas !, avait été double.

Au fil des ans, je les perdis de vue l'une et l'autre.

Mais, au début de la vingtaine, j'épousai, en septembre, une jeune femme blonde qui me rappelait en tous points Mireille. Sportive, elle illuminait ma vie par ses chants et par son rire qui était comme de la blondeur sonore. Insatiables, les fêtes d'intensité de nos nuits d'amour prenaient l'allure de feux d'artifice. Bondissant sur le lit, nous pourchassant par l'appartement, nous dûmes souvent tenir nos voisins éveillés.

Au bout de deux ans pourtant, je rencontrai une jeune femme aux longs cheveux noirs qui fit revivre pour moi toutes les séductions lointaines de Lucie. À cet âge des grandes passions où l'on aime avec la chair et le cœur mis à nu, je ne pus résister à ses charmes et me retrouvai dans sa chambre, complètement envoûté par la volupté douce émanant de tout son être. Elle disposait sur la table de chevet et sur le rebord de la fenêtre des lampions à la lavande, des chandelles incrustées de fleurs ; pianiste, elle faisait jouer des seconds mouvements de concertos de Mozart enregistrés à la suite sur une cassette ; elle se versait du parfum dans les mains pour me prodiguer des caresses et pianoter délicatement sur le clavier de mon corps. Je reposais entre ses bras tel un nageur entre les bras d'une rivière. Mon épouse s'appelait Joanne. Ma maîtresse Carole. De la première émanait la lumière des femmes de Renoir. De la seconde la langueur sombre et sensuelle des femmes de Modigliani.

Incapable de sacrifier l'une à l'autre, je

finis par vivre avec l'une et l'autre. Un jour de folie, j'osai présenter Carole à Joanne et, aussi invraisemblable que cela puisse paraître, après les premiers moments de jalousie, les deux femmes comprirent qu'elles se complétaient si bien qu'elles devinrent de grandes amies. Et pendant près d'un an, nous vécûmes tous trois ensemble.

Je craignais de scandaliser les voisins, mais il n'en fut rien. Ils affectaient de ne pas remarquer notre situation. Un de mes amis alla plus loin. Il m'affirma sans ménagement que j'étais le seul à voir Carole la noire, que cette amante n'existait que dans mon imagination, qu'à force d'entretenir mon esprit dans cette lubie, je détruirais mon mariage. Sur ce point du moins, il n'avait pas tort, car Joanne finit par me quitter. Quant à Carole, elle partit étudier à l'étranger et j'ignore ce qu'elle est devenue. Quoiqu'il en soit, tant que dura notre ménage à trois, je connus une plénitude extraordinaire, les seuls mois de vraie félicité de toute ma vie.

Il est bien possible après tout que Carole n'ait jamais existé et que depuis toujours l'un de mes cœurs soit en amour avec une femme réelle et l'autre avec une femme de rêve. Il est bien possible que, depuis toujours, dans ma quête d'harmonie, je ne sois que l'amant de la chimère.

En tout cas, je ne me suis jamais remis de la perte de Carole et de Joanne. Et depuis, je vis en quelque sorte à l'écart de l'amour, reportant mon affection sur deux chattes à poil long qui me tiennent lieu de compagnes : l'une toute noire, l'autre jaune comme l'or.

Étrange destinée que la mienne. Et connaîtrai-je jamais l'apaisement ? Si je pouvais regarder sous la peau recouvrant ma cage thoracique, j'y verrais, viscère hybride, battre deux cœurs rattachés à la même aorte. Et quand, les jours d'automne, ma vie m'apparaît comme un échec, j'en attribue la cause à cette erreur de la nature.

J'ai indiqué, sur mon permis de conduire, qu'on peut prélever sur mon corps les organes récupérables. Si je péris dans un accident, je deviendrai le premier homme à faire don de deux cœurs. J'espère toutefois que le chirurgien aura le bon sens de les séparer et de les transplanter dans deux poitrines différentes. Ainsi, chacun des receveurs aura plus de chance que moi de trouver le bonheur.

LYNE *ou* LE NON-LIEU

par Marcel Dubé

Celui-là qui pourrait faire le récit des saisons d'enfance et de prime jeunesse et trouver les mots justes et sacrés sans transgresser les indicibles pulsations d'un cœur d'antan chaviré dans son éclatement, risquerait de mentir et surtout de trahir les secrets qui n'appartiennent aujourd'hui qu'à une folle imagerie trop lointaine pour être ressaisie dans sa densité et sa volatilité, car ce songe qui naquit un jour au hasard du bruissement des feuillages des arbres, de complaintes d'oiseaux de buissons, du doux froissement de leurs ailes en ébats à fleur d'étangs, des grands jets d'eau du parc de la Fontaine, de la trajectoire insaisissable de la lumière entre la tendresse du mois de mai et les dorures de septembre, n'a jamais fait âme avec un réel tangible, palpable de la main, n'a jamais uni les sens et leur corps aux choses charnelles de la vie humaine sortie de la guerre de quarante en lambeaux, couleur kaki, portant en son écharpe de sang son cœur et son espoir explosés, se remettant lentement de la peur et du charnier et cherchant par-devant elle à se refaire une foi nouvelle, un amour et une beauté crédibles — la vie humaine en ces années de chaos ne valait pas cher, elle portait son képi rabattu sur ses yeux crevés, une moustache au-dessus de sa gueule arrachée — mais rien, d'autre part, n'arrivait à contenir les chevaux colorés aux naseaux fumants, montés sur le manège du parc par des enfants lumineux d'innocence ni taire la musique cajolante et lancinante du carrousel emballé qui créait pour l'occasion de vacances de renaissance les souvenirs de fêtes les plus fragiles comme les plus parfumés et la nuit venue, aucune force contraire ne pouvait retenir les jets d'eau de la Fontaine jaillissant vers le ciel étoilé comme des lances multicolores, comme un feu d'artifice de la Saint-Jean, secouant les bêtes somnolentes, emprisonnées dans les cages du zoo sous les masses touffues des marronniers fleuris auprès de la source et de la cascade affluents des étangs et du puisard de la Fontaine et du lac semblable à un tapis de velours zébré par les reflets ondulants des falots sur lequel glissaient des gondoles à mazout, panachées de blancs cygnes géants, capitaines impassibles au cours si minuscule mais essence de magie et de tendresse, comme si pour chaque soir il devait y avoir naissances et promesses d'amours d'évasion, inexplicables et impossibles à se souder, ni même vraiment à se résoudre, en dépit du corps de Lyne qui de juvénile qu'il était se mua en un seul jour, au solstice de l'été, en celui d'une fille troublante, élancée comme une biche à la fois amadouée et craintive et pour accompagner Lyne une troupe d'enfants de 15 ans s'était formée, sauvages, beaux et muets ils étaient fascinés par ses seuls pas posés sur les gazons feutrés et humectés de brunante et de larmes de joie ou de détresse, car ce petit monde enchanté du parc de la Fontaine se sentait aussi resserré en lui-même comme si de l'étoupe s'engageait dans ses poumons trop gonflés et que son cœur était pris de vertige aux abords de l'abîme de la beauté de Lyne, de cette Lyne aux yeux verts, à la démarche envoûtée et envoûtante, aux dentelles diaphanes, aux pieds et aux chevilles nus autour desquels pour chaque articulation prononcée, naissaient des nébuleuses et des écailles de phosphore ; et c'est ainsi que les jours et les nuits, arômatisés de parfums et de musiques nous rapprochaient d'un bonheur éternel et à la fois malade qu'entraînait l'obsession de la source et de sa décharge vers lesquelles, nous nous sentions irrévocablement tirés et nous y marchions, nous nagions dans les remous, à contre-courant, les cheveux lissés sur nos crânes parfaits, nos vêtements collés à la peau de nos os, pour fuir en une ultime tentative les sentiers d'une existence tragique en banalités, la vie du prochain âge qui nous attendait et pour retourner ne fut-ce qu'une dernière fois à la matrice originelle et pour recommencer à notre point de départ, le processus fleuri des termes de notre enfance, de notre jeunesse et de notre beauté mais sachant trop bien que notre aventure n'avait d'autre issue que celle d'accepter les espaces de temps qui nous étaient dévolus et qui ne nous poussent jamais vers l'arrière mais par-devant, notre seule échappée n'étant plus de plonger au fond du lac mais de remonter en surface des eaux qui bercent des nénuphars à la dérive ou de nous laisser tourbillonner dans les jets d'eau de la Fontaine dont la turbulence ressemble aux mouvements des sociétés qui se projettent dans un avenir fulgurant et triste ; mais Lyne, ses amoureux et moi-même, marchions à la recherche de chimères déjà mortes, grisés que nous étions des écumes de la source, par le réveil des bêtes, les bruissements des feuillages des arbres, les complaintes des oiseaux et le froissement si doux de leurs ailes — et ces choses étant dites — nous refusions de croire que nous « vivions » pour ne pas être rangés parmi la multitude de tous les « vivants » et nous ne voulions pas non plus mourir, nos déportations enivrantes nous permettant de tout espérer de notre univers de métamorphose et Lyne possédait le courage qu'il fallait pour franchir le mur de ses plus profondes angoisses, pour crever les toiles de la peur et le pouvoir aussi de s'envoler, ailée, vers les papillons de soie qui se brûlaient instantanément aux falots de l'étang ou encore de se laisser inonder triomphante par les retombées de perles d'eau des jets multicolores de la Fontaine, tentant de nous entraîner par ses joies et ses cris juvéniles mais dont la voix de fille devenue ne trompait guère et l'un après l'autre nos noms étaient prononcés clairement, nous étions appelés, certains tentaient de la rejoindre mais rebroussaient chemin, d'autres se contentaient de rire puis se taisaient, les derniers laissaient couler leurs larmes silencieusement comme si le fond même de nos êtres se dérobait devant l'éclatement du désir et de la beauté, les amitiés en ces temps antérieurs se nouant plus aisément que les amours, notre corps étant noué et lié à d'immuables préceptes et nos âmes aveuglément dominant les assoiffements du cœur, nous nous laissions tiédir par les brises du soir, feignant d'éteindre en nous le feu de passions violentes, aux issues qui eussent pu être trop cruelles et nous faisions plutôt l'éloge des lilas et des muguets que celui des formes pures du corps de Lyne magnifié par l'ensorcellement de la fête qui n'appelait déjà plus rien d'autre que d'être enveloppé et salué comme les déesses païennes le sont dans les mythologies étrangères et sans pouvoir le dire Lyne se croyait déesse et sa divinité lui aurait été agréée par la nature même de sa naissance innocente à la vie et, non, hélas ! la chair de Lyne n'était pas triste alors mais bouleversante à faire pleurer et lorsque Lyne émergeait des eaux de la Fontaine et du lac, vêtements collés à la peau, à moitié nue et solitaire elle s'en allait à l'écart sur une pelouse dérobée, près de buissons touffus, pour que la brise l'assèche, fermer les yeux, calmer sa joie, dissiper les doutes quant à ses attraits, retrouver une paix et un silence dont elle avait soif et surtout pour que ralentissent les battements de son cœur que nul ne savait si grand et si lourd et ne pouvait apaiser ; tel un diamant qui s'éteint quand la lumière se retire, Lyne n'était plus qu'une ombre qu'une forme évanouie dans la noirceur de l'univers et nous la cher-chions, nous attendions son retour, voulant nous maintenir dans l'état surnaturel de notre incarnation et lorsqu'elle réapparais-

100

sait loin de la colline où les militaires refai-
saient des enfants à leurs femmes déjà
enceintes leurs étreintes mêlées de sueurs et
de bière — la vie humaine et douloureuse
passait ainsi à des actes de vengeance — Lyne
avait suivi des sentiers d'hydrangés qui l'avait
conduite aux chaloupes de location et je
m'embarquai avec elle pour une croisière
symbolique sur l'étang aux nénuphars mais
je ne suis plus du tout certain que ce fut moi
et non Sébastien, mon ami qui fit la traver-
sée mélancolique de la nappe d'eau sombre
à bord de l'embarcation et au cours de
laquelle Lyne avoua en pleurant qu'elle
éprouvait le goût de se noyer, pour la raison,
aurait-elle dit, que personne ne voulait d'elle
et que son bonheur et ses joies si grands
fussent-ils, les tristesses démesurées qui les
suivaient lui enlevaient un peu plus chaque
jour le goût de vivre et Lyne ne mentait pas,
j'en étais certain et Sébastien aussi partageait
ma certitude, nous en avions parlé ensemble
et je ne me souviens plus très bien qui avait
reçu le premier cet aveu de Lyne à qui par
la suite nous avions tenté de tout donner
pour guérir son cœur blessé parce que je
crois que nous l'aimions mais je suis loin
d'être sûr que nous pouvions aller jusqu'au
bout avec elle c'est-à-dire faire les gestes
vitaux de la vie humaine, de l'amour humain,

quitte à en revenir blessés, trépanés au front, meurtris jusqu'au fond du cœur, ayant perdu à tout jamais l'envoûtement surnaturel de notre enfance et de nos 15 ans et c'est ainsi en me posant cette question que je doute de mon droit de croire que Lyne fut mon premier amour, j'ai de bonnes raisons de penser que non et qu'en réalité, ce que je tente de raconter est indicible, qu'on ne se souvient jamais parfaitement d'un rêve et que l'on triche avec la vérité surtout qu'en ces temps à tout jamais révolus auxquels je me reporte cette imagerie d'antan était née au hasard du bruissement des feuillages des arbres, de complaintes d'oiseaux de buissons, du doux bruissement de leurs ailes en ébats à fleur d'étangs, des grands jets d'eau du parc de la Fontaine, de la trajectoire insaisissable de la lumière entre la tendresse du mois de mai et les dorures de septembre et que de tout cela Lyne avait pris l'entière possession, du carrousel, de la source et du zoo et que je n'avais pas les richesses d'un prince pour en partager la moitié avec elle et que par conséquent je ne peux considérer Lyne comme objet de mon premier amour, que dans ce cas il s'agit d'un non-lieu et que mon premier amour fut sans doute le second à moins que ce ne soit le dernier que je vis chaque jour dans le cours de mon âge.

MAURICETTE

par Marc Favreau

1936... Aussi bien dire avant le déluge.

D'avoir connu Howie Morentz, la guerre d'Espagne, le portrait de George VI dans la classe, et le grand catéchisme en images avec son enfer fascinant : « Toujours... jamais ! Toujours... jamais... ! » on se sent quelque peu dinosaure...

C'était l'époque où nous vivions séparés. Une grande école coupée moitié frères moitié sœurs. En ce temps-là, on pouvait savoir, rien qu'à l'odeur douceâtre et aigrelette, qu'on était chez les filles ; côté garçons c'était plutôt musqué...

1936... sept ans ! Finie la classe préparatoire avec Sœur Saint-Gérard, nous allions passer chez les frères... Hélas, faux départ ! Par quel sortilège nous sommes-nous retrouvés, gringalets de première année, côté filles ?

Manquait-on d'effectifs chez les mâles éducateurs ?

Quoi qu'il en soit, nous étions coincés.

Coincés par notre prof à cornette qui nous faisait bien sentir que nous n'étions que « tolérés » chez elle... coincés aussi par les garçons d'à côté, qui nous ignoraient superbement et qui, suprême outrage !, nous envoyaient même jouer à la poupée...

Quant aux filles, elles nous pouffaient au nez, ou pire encore, nous dévisageaient avec condescendance...

Ah ! un coup pareil, juste au moment d'accéder à l'âge de raison... !

De plus, comme pour ajouter à l'humiliation, notre vie était ponctuée à l'impératif du claquoir, ce petit ustensile fait de deux petites pièces de bois dur reliées par une charnière, qui rappelait les castagnettes mais dont les bonnes sœurs faisaient un usage beaucoup moins fantaisiste. Cet instrument innocent ne rendait qu'un son, toujours le même clac ! et pourtant nous entendions : « Silence ! Tous en rang ! En avant, marche ! Assis ! Debout ! Bonjour monsieur l'inspecteur ! » et combien d'autres aboiements destinés à nous dresser l'oreille et tout le reste.

Chez les frères on n'osait pas se servir du claquoir (sans doute par peur d'imiter les sœurs qui l'avaient découvert avant eux, les finaudes...), on claquait plutôt virilement le majeur et le pouce. Et pour ceux qui n'y arrivaient pas à cause de leurs doigts trop gras, il restait le sifflet qui vous donne un petit air sportif. Ah, les pauvres, s'ils avaient su les vertus du claquoir ! Non seulement était-il sans réplique, mais il y avait dans ce clac sec, comme une menace constante, un rappel de coup de fouet propre à décourager les plus turbulents.

Mais c'était à l'église, nous allions bientôt le constater, que le claquoir trouvait son plein épanouissement. Un matin pas comme les autres, on nous annonça l'heureux événement qui devait nous faire oublier notre affreuse condition d'apprentis paranoïaques. Nous allions accéder au statut de personnes responsables et basculer dans le camp des initiés : Dieu, qu'on nous avait pourtant appris qu'il était partout, Dieu s'apprêtait à nous descendre sur la langue, sous la forme d'une pastille ultra-mince, blanche et fade, à ingurgiter sans croquer, mais avec de très laborieux efforts de langue, car la chose avait la fâcheuse habitude de coller au palais... C'était bizarre, troublant, et en même temps très excitant à cause du cérémonial qu'il fallait répéter.

Nous nous retrouvions à l'église, filles et garçons parqués de part et d'autre de l'allée centrale. Il s'agissait, au moment de la communion, de sortir de son banc à la queue leu leu, les yeux baissés et les mains jointes, de descendre toute la nef par les bas-côtés pour se rejoindre au centre, de remonter l'allée centrale en cortège, côte à côte, comme un chapelet de petits couples à l'heure nuptiale, de s'agenouiller tour à tour et deux par deux quelques secondes à la sainte table, puis de repartir enfin chacun de son côté pour regagner son banc.

L'important, dans cet exercice en apparence anodin, c'est qu'il était scandé, comme tout l'office d'ailleurs, par le claquoir. Aucun désordre possible ni laisser-aller fantaisiste ; pas question, une fois mollement assis, de s'agenouiller en laissant glisser sournoisement les rotules sur le prie-Dieu... Non. Tout mouvement se devait d'être décomposé : clac assis ! clac debout ! clac à genoux !

Ah, qui dira la jouissance secrète de la joueuse de claquoir derrière son masque impassible... ? Pouvoir, d'un petit geste sec, couper court à la somnolence rêveuse engendrée par l'encens et la voix de fausset de l'officiant fluet... !

Et ce clac amplifié, réverbéré par la voûte de la nef, semblait venir de partout.

Ce n'était plus elle, la bruyante, c'était Dieu qui claquait... ! Et quand, à la fin de l'office, clac ! génuflexion, clac ! le troupeau se redressait, la claqueuse retardait de quelques secondes l'ultime signal, double clac ! clac ! qui commandait l'évacuation finale...

Ah, comme elle devait regretter de ne pouvoir battre la marche, gauche ! droite ! jusqu'à la sortie de l'église...

L'église. Peut-on rêver décor plus propice à un miracle ? Car ce fut un miracle, et je sais de quoi je parle, puisqu'il s'agissait de mon miracle à moi ! Impossible de qualifier autrement ce choc, cette révélation, qui s'accompagne d'une sensation d'inéluctable, de définitif, de fatal...

Elle s'appelait Mauricette. Bien sûr depuis la rentrée je l'avais déjà repérée parmi les boulottes et les asperges. D'ailleurs je n'étais pas le seul, toute la classe avait les yeux sur elle. Moi, je l'avais décidée parfaite, toute en finesse, avec son minois mutin, sa lèvre supérieure, sa moue énigmatique, et surtout ses yeux noisette à faire rêver l'écureuil que j'étais, d'autant plus qu'il fallait une patience infinie pour les entrevoir, cachés qu'ils étaient dans cette longue crinière brune qui lui mangeait la moitié du visage... frange frontière infranchissable... Je la devinais secrète et la voulais inaccessible...

Ce matin de première répétition, nous étions tous dans nos bancs, placés dans un ordre immuable, les petits devant et derrière, les grands. Moyen entre les moyens, je me trouvais au centre. Au premier coup d'œil chez les filles, je la découvris dans le même rang que moi. Elle était là, à quelques pas, à peine l'allée centrale et quelques importuns nous séparaient. J'étais furieux. Je devais me pencher pour l'apercevoir à peine, et de profil, et encore quand elle n'était pas cachée par trois ou quatre étourdies qui bougeaient sans arrêt.

Je calculais : plus grande, elle se serait retrouvée derrière et je n'aurais eu qu'à me retourner pour croiser son regard... mais encore là, danger ! à jeter constamment un œil par-dessus son épaule on finit par se faire un peu trop remarquer... Plus petite c'eut été mieux, je l'aurais eue dans mon champ de vision, quelques rangées devant, et mon œil persistant fixé sur sa nuque l'aurait sûrement forcée à se retourner...

J'en étais là à me morfondre, loin de me douter que mon bonheur résidait précisément dans le fait que nous étions de la même taille. En effet, au moment d'entreprendre notre déambulation à la queue leu leu, comme je sortais de mon banc, je la vis qui en faisait autant, et en même temps que moi... et je la suivais, qui descendait la nef de son côté, et moi du mien... toujours à la même hauteur... Serait-ce possible que... ? Non, ce serait trop beau... inespéré... Et j'avais le cœur qui battait une chamade insensée... Et je cheminais, feignant le plus profond recueillement... et nos deux processions se fondaient en un seul cortège... tour à tour une fille et un garçon se retrouvaient face à face, puis côte à côte... et plus mon tour approchait, plus je conjurais le sort de m'être favorable... quand tout à coup... miracle ! L'apparition était là, devant moi ! Nous marchions l'un vers l'autre... elle avançait les yeux baissés, et moi, parfaitement somnambule, les yeux comme des soucoupes, je la fixais...

Et quand, finalement, à l'instant de nous rejoindre, à moins d'un pas de moi, elle leva les paupières (sans doute pour faire l'inventaire de son compagnon des dix prochaines minutes), j'eus droit, en une seconde, à deux magnifiques billes de velours pour me vriller la mémoire à jamais.

Une seconde c'est très peu, et pourtant c'est assez pour voir passer un sourire sur un soupçon de fossette...

Ah oui elle souriait. Je jure qu'elle souriait !

109

Et qu'on ne vienne pas me parler de pudeur timide. Il y avait là autre chose, comme un début de conquête... enfin, elle n'était plus inaccessible !

En remontant l'allée centrale, je la sentais à mon côté, grave, concentrée, et la laissai me devancer d'un demi-pas pour mieux l'observer... Je fis même semblant de trébucher pour la frôler du coude, mais sans obtenir la moindre réaction...

Elle était forte, elle cachait bien ses émotions.

Ah, j'aurais donné dix ans de ma vie (à cet âge on est prodigue à bon compte !) pour ne pas avoir les mains jointes, et pouvoir la toucher...

Je rêvais de nous deux, doigts enlacés...

Je la sentais faiblir, puis s'affaisser, sans connaissance... et je me précipitais sur elle pour la ranimer, je lui prenais les mains, je la serrais contre moi... et oh, merveille ! personne ne protestait, j'étais son héros, son sauveur... !

Et cette image persistante revenait sans cesse... et je devenais retors, je la voulais complice, je me concentrais très fort pour la persuader de feindre l'évanouissement, et de tomber d'elle-même dans mes bras...

Ou mieux encore, au moment de nous

agenouiller à la sainte table... si c'était moi qui m'écroulais à ses pieds ? elle n'aurait pas le choix, elle ferait tout pour me ranimer... douce et caressante, elle serait ma Jeanne Mance...

En réalité nous étions là, tous les deux à genoux, sur le point de recevoir ce bon Dieu que j'avais relégué loin derrière mes vagabondes imaginations...

Le prêtre se tenait devant elle, qui communiait la première... je la sentais toute recueillie, et déjà je regrettais mes folles rêveries...

Puis n'en pouvant plus, je risquai un œil de son côté, et je la vis... oh, horreur ! Je la vis, pendant plusieurs secondes qui me parurent éternité... je la vis qui regardait intensément, droit dans les yeux... non pas le prêtre, mais l'enfant de chœur qui lui caressait le menton avec sa patène...

Quoi ? Me trahir pour lui ? Et qu'est-ce qu'il a de plus que moi ? Bon, il a 11 ans, 12 peut-être... et alors ? Bon, il est frisé... et il a des épaules, bon... et après ?

Je regagnai ma place, inquiet et tourmenté par le cuisant poignard de la jalousie...

Puis je tentai de chasser ce cauchemar : elle est trop jeune, elle n'a aucune chance avec lui... d'ailleurs qui dit qu'il voudrait d'elle ? À voir son air supérieur et méprisant, rien n'est moins sûr...

On verra bien. Demain à la répétition, je la retrouverai.

Face à face, les yeux dans les yeux, je verrai bien... à moins que... à moins qu'elle tombe malade et qu'elle ne vienne pas... à moins que la sœur ait remarqué mon manège, qu'elle se mette à changer les places... et qu'on ne soit plus ensemble... !

> Oh mon Dieu, donnez-lui la santé !
> Faites qu'elle soit là demain... !
> Faites que Sœur Claqueuse n'ait rien vu... !
> Faites que ça dure...
> Faites qu'elle ait tant de plaisir à claquer, et qu'on s'exerce encore et encore pendant des jours et des jours...
> J'aime l'église... !
> Ah oui, ah oui ! Claquez, claquoirs !
> Grondez, grandes orgues !
> J'entendrai toujours : amour amour amour... !!!

MON PREMIER GRAND AMOUR

par Gratien Gélinas

Au moment où vous lirez ces lignes —
excusez-moi de commencer par un cliché —
j'aurai entrepris de vivre avec courage ma
79e année, ayant terminé ma 78e le 8 décembre 1987. Si je vous apprenais que je viens
de connaître ma première passion hier, ou
même avant-hier, je vous ferais pitié.
Rassurez-vous : ma première grande crise
amoureuse remonte à peu près à 1913. Ce
qui est sûr, c'est que je n'allais pas encore à
l'école. J'étais donc dans ma cinquième
année. Cinq ans, c'est-à-dire que je n'avais
pas encore atteint l'âge de raison, comme on
disait avant la Révolution tranquille. C'est ce
qui explique sans doute que le choc a été
violent et permanent.

L'objet de cet amour, qui m'habite
encore ? Non, ce n'était pas une petite fille,
encore moins un petit garçon : à cinq ans,
je gardais toujours un contrôle rigide et
absolu sur mes instincts sexuels ou senti-
mentaux. Se justifiait donc, en ce qui me
concernait du moins, l'affirmation de

113

Corneille : « Aux âmes bien nées, la valeur n'attend pas le nombre des années. » Ce n'était pas un animal non plus : nous n'avions à la maison ni chien ni chat, pas même un rat blanc ou un poisson rouge. L'amour de mon pays ne m'empêchait pas non plus de dormir paisiblement.

Et pourtant, à l'âge où les années d'un être humain se comptent encore sur les doigts d'une main, une grande passion, violente et irréversible, allait me sauter dessus. Vous ne devinez pas où je veux en venir et vous donnez votre langue au chat ? D'accord, le suspense a assez duré : il ne faut pas abuser des bonnes choses. Alors je plonge.

Donc, au début de la première Grande Guerre, au 738, rue Gilford, à Montréal, mon père et ma mère, un beau dimanche après-midi, recevaient un jeune homme qui ne savait pas, en entrant chez nous, qu'il allait jouer un rôle de tout premier plan dans mes projets d'avenir. Natif de Saint-Tite (de Champlain) comme ma mère et moi, il étudiait le notariat à l'Université de Montréal. S'il faut tout vous dire pour que vous me preniez au sérieux, il s'appelait Charles Duval.

Durant ces années sombres — car la Grande Noirceur date d'avant Duplessis,

croyez-en un homme qui a déjà connu bien des épreuves — des hôtes de bonne volonté n'avaient pas beaucoup de distractions à offrir à un invité : on ne pouvait même pas compter sur la radio pour tuer le temps entre le passage de deux anges. Nous n'avions à la maison qu'un primitif « graphophone » et trois ou quatre « 78 tours » déjà bien fatigués de tourner en rond.

Heureusement, Charles Duval était un jeune homme très apprécié dans les salons : il faisait ce qu'on appelait dans le temps « de la déclamation », pour la joie des modestes réunions mondaines où il était convié. C'est-à-dire qu'il récitait des poèmes, en vers ou en prose, à votre goût : *La Bénédiction* ou *L'Épave,* de François Coppée, *Les Imprécations de Barabbas,* de Victor Hugo, *l'Heure des vaches,* d'Adjutor Rivard... et autres chefs-d'œuvre du même beau poil.

Au courant de ce bienheureux talent, mon père l'invita à s'exécuter. Charles n'était pas aussitôt en place dans le coin du salon, à côté de notre « piano carré », que je laissais tomber mon petit train électrique, mon camion de pompier, qui m'avaient accaparé jusque-là, pour me pendre à ses lèvres. S'il n'avait pas été debout, je me serais assis sur ses genoux pour boire ses paroles de plus près.

Après trois ou quatre numéros, mes parents, qui le recevaient à dîner — on disait alors « à souper » — s'éclipsèrent vers la cuisine pour préparer la table et le repas. Mais moi je restai planté devant Charles Duval, demandant un rappel après l'autre. Il lui a fallu me débiter tout son répertoire : moi, d'habitude un enfant conciliant, je n'avais jamais été aussi têtu et exigeant.

Cela a été pour moi le coup de foudre, en plein dimanche après-midi, par un ciel clair : je venais de découvrir un aspect du théâtre. Moi aussi, je « déclamerais » ! Oui, monsieur, oui madame ! Paul Claudel, pénétrant presque par hasard, le 25 décembre 1886, à Notre-Dame de Paris, et recevant la révélation de la foi catholique n'a pas dû être plus ébranlé que le petit Gratien. Cela dit en toute humilité et avec les excuses que je dois au génial auteur du *Soulier de satin* pour oser mettre en parallèle ma colline théâtrale et son Himalaya dramatique.

Les jours suivants, ma mère me surprit, dans le coin même du salon où Charles m'avait ébloui, en train de baragouiner un simili-texte et d'imiter ses gestes amples et accusés car, en ce temps-là, on « chargeait » volontiers.

Le temps passa, sans effacer mon désir refoulé de déclamer moi-même. À l'école,

trois ou quatre ans plus tard, je découvris un ou deux de ces textes dans des manuels de lecture. Tout de suite, je les appris par cœur et ne tardai pas à me produire devant mes camarades de classe ou devant les membres de ma famille. Ma mère — preuve irréfutable de son amour maternel — me trouvait bon, pour ne pas dire plus.

Il faut que je vous apprenne ici que mon père était, à mon avis, un excellent conteur d'histoires, du genre de celles qui se débitent en société. J'admirais sans réserve la façon qu'il avait de ne jamais rater le « punch » de ses histoires, qui semblaient l'amuser autant que ses auditoires y prenaient plaisir.

Obsédé par le désir de l'imiter, je trouvai dans des recueils d'ici ou d'ailleurs des monologues comiques que je m'empressai de réciter, toujours devant mes parents et mes camarades du Collège de Montréal. J'avais alors 19 ans. Succès honorable : pourquoi est-ce que je vous mentirais bêtement, même si j'ai toujours mis ma vanité à passer pour un homme humble ?

Je vieillis encore un peu, n'ayant d'ailleurs pas le choix. Vers l'âge de 22 ans, mon petit champ d'action s'était agrandi pour inclure certains groupes où ma réputation de « monologuiste comique » m'avait précédé. Et je me rendis compte un beau jour

117

qu'en cours de route j'avais adapté à l'actualité, à mon tempérament ou à ceux de mes publics ces textes qui n'étaient pas de moi, jusqu'à les modifier sensiblement. Et cette idée me vint : si je pouvais inventer avec succès le tiers ou la moitié du monologue d'un autre, il me serait peut-être possible de créer « à mon image et à ma ressemblance » un monologue entier ! C'est ce que je fis, avec « Le bon petit garçon et le méchant petit garçon, par moi-même », qui devint le plus évident succès de mon répertoire. Le sort en était jeté : je ne réciterais plus à l'avenir que des monologues de mon cru.

Pour faire courte une longue histoire qui s'est étirée en définitive sur 23 ans et d'un monologue à l'autre — je ne vous l'apprendrai pas, car, chers et futés lecteurs, vous l'avez deviné — je créais le 26 septembre 1937 à la radio de CKAC, puis sur la scène du Monument National le 4 mars 1938, le personnage de Fridolin, descendant direct et légitime du « Bon petit garçon et du méchant petit garçon », lui-même issu du « big bang » dont j'avais été l'heureuse victime à l'âge de cinq ans.

Charles Duval a fait paisiblement sa carrière de notaire à Montréal, sans éprouver, semble-t-il, de remords pour m'avoir donné, il y a près de trois quarts de siècle, le premier amour de ma vie, celui du théâtre.

C'est donc lui qui m'a conduit à donner naissance à Fridolin, qui, à son tour a mis au monde l'homme de théâtre que je suis depuis un demi-siècle ! Et que je serai, je vous le promets — juré craché — jusqu'à ma mort. Mais ne parlons pas de malheur : je suis trop heureux, avec toute la chance que j'ai eue d'avoir été le premier auteur dramatique canadien à vivre de son métier. Métier exaltant, croyez-moi sur parole, n'en déplaise aux gardiens de nuit.

MON CHÉRI, CONSERVE BEN TOUTES MES LETTRES, C'EST SACRÉ !

par Claude-Henri Grignon

Moi itou, j'ai aimé dans ma vie. Moi itou j'me sus marié pis j'ai marié celle que j'aimais, ma belle Flora que j'appelais ma Fleur. À 17 ans, c'était une vraie rose. J'la vois encore la pauvre défunte. Ça m'fait un p'tit v'lours d'en parler.

Je l'avais connu, j'm'en allais sus mes 20 ans. A l'en avait pas 17, j'pense. J'trimais encore dans les chanquiers. J'conduisais un spanne. C'est vous dire qu'on se levait de bonne heure. J'ai toujours devant moi la barre verte de l'aube dans les matins d'hiver que le frette en pérait de partout. C'était pas chaud, les amis, mais on avait pas l'droit de s'plaindre. On braillait pas non plus. J'pensais à ma belle qui m'attendait dans les plaines, les grandes plaines de par en bas où c'est qu'on voit à cinq milles les clochers d'église pis fumer les maisons dans le ciel bleu. J'y pensais à ma belle Fleur que j'finirais par voir à Noël ou ben au Jour de l'An.

Ça dépendait du boss. Le boss était pas trop dur. I aimait les belles créatures lui itou. I haïssait pas ça non plus : danser à deux pis prendre un p'tit coup quand l'temps est arrivé de descendre des chanquiers.

D'ordinaire, on partait trois jours avant Noël de manière à aller à la messe de minuit avec les parents. Mais c'était pas tout l'temps pareil. On savait ça quecques jours d'avance. On attendait. On se r'gardait. On vivait d'espérance comme des marins pardus en mer pis qui attendent le lever du soleil pour voir d'la terre ferme.

Ma blonde m'écrivait toutes les semaines, des lettres longues de même qui m'arrachaient les larmes. A s'ennuyait ben elle itou. Depuis deux ans que j'la courtisais pis que dans un bi qui avait eu sus un voisin a m'avait déclaré comme ça : « J't'aimerai toujours. On finira ben par se marier. Compte sus moi. » J'ai compté sus elle pis je l'ai mariée ma pauvre Fleur qui dort aux jours d'aujourd'hui de son dernier sommeil dans le cimetière du village. Pendant longtemps a m'a écrit. Rien qu'à voir son écriture haute pis large comme son cœur, ça me donnait envie de vivre. À part de ça que ça me donnait des idées pour écrire pour les autres gars du chanquier qui se trouvaient avec moi. C'étaient pas des baveux ni des

122

r'chigneux quand venait l'temps de payer. J'ai vu des piastres rien qu'à écrire des belles lettres d'amour. J'avais poigné le tour pis j'vous faisais des fions que les gars r'niflaient quand j'leu lisais ça, tranquillement à la lueur de la lampe suspendue au plafond. Ah ! les hivers passés au chanquier ! Quand le dimanche arrivait c'était le grand jour des serments, des larmes pis des promesses. C'est comme ça que j'connaissais les amours de tout l'monde. J'parlais pas des miennes, par exemple. J'les tenais cachées comme un quecqu'un garde un trésor avec un soin jaloux.

Ma Fleur me r'commandait tout l'temps de ben conserver ses lettres, qu'on les lirait ensemble une fois mariés. Rien que ça, ça me faisait de quoi, ça me rapprochait d'elle. Ah ! ma Flora, une belle Fleur ! C'est pas au ras une belle fille comme elle qu'un gars de chanquier aurait caillé.

***

J'la vois encore sus le canapé dans la maison de son vieux père. Belle comme une fleur, plus belle qu'une rose, a parlait pas gros. A savait ben que j'la r'luquais mais quand l'horloge sonnait dix heures...

— T'es pas pour partir astheure ?

— Ton père vient de monter le cadran.

— Laisse-lé faire. Ça veut rien dire. Mon père itou a déjà été au chanquier ; lui itou i a déjà aimé.

— Ben oui, mais ça me gêne, Flora, que j'disais d'même en faisant à semblant de partir. J'en avais pas une grosse envie, par exemple.

— Reste don encore quelques minutes. Fais pas l'fou.

— C'est correct, ma Fleur.

Comme de raison j'veillais jusqu'à onze heures. C'était la seule chance que j'avais d'i voler un baiser avant de me r'conduire. Pis j'emportais ce baiser-là avec moi dans la froidure d'un soir d'hiver. I a des souvenances comme ça qu'on oublie pas.

Pauvre Flora, j't'aurai ben aimée !

J'me rappelle qu'on s'entendait tous les deux pour mon arrivée. On s'trouvait à faire chanquier à une quinzaine de milles du village. I avait un grand lac de trois milles de long à traverser avant de tomber sus le grand chemin. Tous les soirs à partir du 15 décembre à aller jusqu'au 15 janvier, tous les soirs, Flora attelait sus la traîne à bâtons pis a venait au-devant de moi sus l'bord du lac par rapport à mon bagage qui était pas mal gros pis que ça me sauvait ben proche quatre gros milles. Jamais ma douce Fleur

124

a manqué à ce rendez-vous-là. A l'amenait un de ses petits frères avec elle. Pis j'me souviens que Le Rousselé, un autre gars de chanquier qui restait dans le même village que moi, m'accompagnait. On partait ensemble.

Comme je vous l'disais t'à l'heure on pouvait pas savoir d'avance à quelle date qu'on descendrait. Des hivers, le boss arrivait trois jours avant Noël pis i disait d'même : « Préparez-vous à descendre après demain matin, les gars. » Une autre hiver c'était le 15 de décembre. Des fois ça pouvait aller au 15 janvier. Jamais plus tard. C'est pour ça que ma blonde, elle, venait tous les soirs m'attendre au bord du lac à partir du 15 décembre au 15 de janvier. A m'aimait assez pour ça. Son père trouvait qu'a l'exagérait un p'tit brin. Elle, a disait rien. A faisait à sa tête. A faisait plutôt à son cœur.

On partait toujours de bon matin pour arriver avec la grosse noirceur. C'était un bon boutte pis quand la neige collait c'était pas d'avance. Ça fait rien quand on aime pour vrai.

**

Une hiver, le boss nous dit comme ça juste la veille de Noël : « C'est ben d'valeur, les gars mais i aura pas de messe de minuit pour vous autres c't'année. Vous allez descendre rien que le 13 de janvier. Pas avant. » Les hommes ont pas dit un mot : le boss avait parlé.

Le 13 de janvier de bon matin avec la barre verte du jour, par un frette noir, nous v'là partis, Le Rousselé pis moi. On avait gros pésant à porter. On marchait vite pareil. Rendus sus l'soir avec la brunante v'là t'y pas le vent qui s'lève pis la poudrerie qui poigne là-dedans. On voyait rien à dix pieds devant nous autres. On se trouvait en plein milieu du lac. On voyait pas la lisière du bois l'autre bord.

— J'pense qu'on s'est écartés, me dit Le Rousselé pendant que l'vent i fouettait le visage.

— Envoye, envoye, que j'réponds. Prends pas l'temps de couper une bavette. Marche la tête baissée.

— J'ai jamais vu une tempête de même. On ferait mieux de r'virer.

— Viens-tu fou ? Marche, marche.

Mais la neige était pas lisse comme au matin. Ça marchait mal pis c'te damnée poudrerie qui nous bouchait les yeux pis les oreilles. Tout d'un coup i m'vient une idée.

— Si on faisait un feu. Tu sais que ma blonde vient tout l'temps au-devant de moi.

126

I vont ben voir qu'on est écartés. I vont venir à notre secours.

— Envoye, vite, le feu, me répond Le Rousselé. Dans l'temps de le dire le feu était pris. On a continué à marcher. J'm'étais pas trompé. J'entends t'y pas des voix qui nous appelaient. C'étaient Flora avec son père. On était sauvés.

***

— Comment c'est que t'as fait pour faire de la flamme sus l'lac, vous aviez pas de bois, me demande Flora.

— J'avais tes lettres d'amour, mon amour ! Sans ça, on s'écartait. J's'rais pas icitte à soir. J'les ai brûlées !

C'te fois-là ma Fleur m'a embrassé comme jamais a m'avait embrassé auparavant.

Conte publié dans *Le bulletin des agriculteurs*, Montréal, janvier 1946, sous la rubrique *Le Père Bougonneux*.

127

LUCILLE DIMANCHE APRÈS LA MESSE

par Jacques Hébert

Longtemps, j'ai cru que Lucille était le plus beau nom de la terre. Au moins entre l'âge de 11 et 13 ans...

Je vivais alors dans une immense maison près de l'église, à Saint-Pascal-de-Kamouraska, sans autre compagnie qu'une grand-mère dont on disait qu'elle était une sainte parce qu'elle priait beaucoup et qu'elle était très vieille. Avec un acharnement sublime et sans doute méritoire, elle me préparait à la prêtrise, unique profession digne du petit-fils d'une sainte. À la maison et à l'église, elle m'associait à tous ses mortels orémus qui rongeaient bien la moitié de la journée. Pour m'éviter les « influences mauvaises » et pour « protéger ma pureté », elle m'interdisait tout contact avec les enfants de mon âge. Mais, pour devenir prêtre un jour, il fallait que je m'instruise un peu : je recevais les leçons particulières d'une ancienne institutrice, vieille bigote obsédée par son interminable virginité qui devait lui assurer, disait-elle, « une place spéciale au ciel ».

Soudain, archange inespéré au milieu de cette désolation, Lucille parut. En réalité, je l'aperçus une première fois de ma fenêtre, l'espace d'une seconde. Elle revenait de la messe avec ses deux sœurs. C'était le jour de Pâques et les trois exquises petites filles portaient des chapeaux neufs, tous les trois pareils, en paille fine couleur de miel. La plus belle, dont j'ignorais encore qu'elle s'appelait Lucille, devait avoir mon âge et je trouvais bien qu'il en fut ainsi puisque nous allions nous marier un jour.

Par la suite, chaque dimanche était devenu jour de fête et d'exaltation. Au retour de la grand-messe, je m'installais à la fenêtre et, caché derrière une gigantesque fougère, j'attendais en frémissant qu'apparaisse Lucille. Dès que j'avais entrevu son beau visage encadré de cheveux blonds, épais, coupés droit, je savais que je serais heureux jusqu'au dimanche suivant, que Lucille enchanterait mes jours et mes nuits, que même les rosaires récités à genoux avec ma grand-mère participeraient à l'allégresse : « Je te salue, Lucille, pleine de grâce... »

Ma grand-mère ne se doutait de rien et trouvait à peu près normal que je regarde « passer le monde » après la messe puisqu'elle en faisait autant de la fenêtre de sa chambre.

À l'occasion, elle m'invitait à m'asseoir à ses côtés, ce qui gâtait mon plaisir parce qu'elle ne pouvait s'empêcher d'émettre des commentaires méprisants sur chacun, ce qui m'étonnait quand même un peu de la part d'une sainte...

« Tu as vu madame notaire avec ses deux renards argentés. Quelle parvenue ! »

« Au moins, la femme du régistrateur n'essaye pas de nous impressionner : elle porte le même vieux manteau de rat musqué depuis quinze ans... »

Personne ne trouvait grâce aux yeux de ma grand-mère et pourtant les gens de Saint-Pascal la considéraient comme *leur* grande dame, une sorte de vieille douairière sortie tout droit de la comtesse de Ségur. Elle pouvait regarder tout le monde du haut de sa grandeur et le monde avait l'air d'aimer ça.

Un dimanche, en apercevant Lucille et ses deux sœurs qui revenaient des vêpres, elle s'écria : « Mon doux Jésus ! Mais ce sont les petites F... ! Regardez-moi ça ! Des filles d'ouvrier et ça s'habille aussi bien que nous autres ! »

L'espace d'un instant, j'ai pensé qu'il serait agréable d'égorger ma grand-mère. Sans s'en rendre compte, elle venait de me donner un coup terrible en me révélant cette monstrueuse évidence : elle finirait peut-être par accepter que je ne devienne pas un prêtre, mais *jamais* elle ne tolérerait que je me marie avec la fille d'un ouvrier. Mon innocente histoire d'amour venait de tourner à l'aigre, il y avait de la tragédie grecque dans l'air.

Au moins, j'avais appris le nom de famille de mon archange blond. Le reste, je l'arracherais, bribe par bribe, à la vierge ratatinée qui m'enseignait l'arithmétique et l'orthographe : elle connaissait absolument tous les paroissiens de Saint-Pascal, y compris les ouvriers. Je sus enfin que Lucille s'appelait Lucille et qu'elle avait un frère aîné, Marcel ou Michel. Âgé de 15 ans, il jouait au dur, il fumait la cigarette.

Après l'apparition tant attendue du dimanche, je me réfugiais dans ma chambre et j'écrivais à Lucille des lettres éperdues, des poèmes désemparés, des chansons absurdes et passionnées. Les pages brûlantes s'accumulaient mais comment les faire parvenir à Lucille ? La poste ? Beaucoup trop risqué : une lettre parfumée à l'eau de Cologne adressée à une petite fille de 11 ou 12 ans affolerait à coup sûr les parents. À moins que...

Presque tous les jours, en fin d'après-

midi, j'allais au bureau de poste chercher le courrier de ma grand-mère. Souvent, j'y entrevoyais le frère de Lucille, un mégot au coin des lèvres, dégingandé, un brin voyou. Il me faisait peur. Mais une fois, prenant mon courage à deux mains, je lui remis une enveloppe « pour Lucille » et, afin d'amadouer mon indispensable messager, je lui offris un paquet de cigarettes desséchées, trouvé dans les affaires d'un oncle jamais connu, mort de la grippe espagnole en 1918.

Après vingt-deux pages de tendres sottises, ma première lettre se terminait par cette révélation énorme : « Mon bel amour, sache que, depuis Pâques, je te regarde passer sous ma fenêtre, chaque dimanche après la messe. Je t'embrasse de loin, j'en tremble de joie et j'en rêve le reste de la semaine. »

Le dimanche suivant, tout avait changé : elle *savait* que j'étais à ma fenêtre, que je la regardais intensément, et je savais qu'elle savait. Que ferait-elle ? Hélas ! au lieu de lever les yeux vers moi, de me sourire enfin, pour la première fois, elle réagit de manière tout à fait erratique : son joli visage devint rouge comme les deux rubans qui glissaient de son chapeau de paille jusqu'à ses fesses, elle se mit à tousser, elle trébucha même et tourna carrément la tête du mauvais côté.

Je vécus la pire semaine de ma vie, persuadé que ma lettre l'avait abasourdie ou choquée, qu'elle ne m'aimait pas et que je ne pourrais jamais dormir avec elle autrement que dans mes rêves. J'en devins malade et passai plusieurs jours au lit où, quand ma grand-mère me laissait seul, entre deux tisanes amères, je pleurais gravement en pensant à ma mort imminente, convaincu que la vie ne valait pas la peine d'être vécue puisque Lucille ne m'aimait pas.

À ma honte, j'appris alors une leçon qui devait plusieurs fois me servir le long de ma vie : quoi que l'on souffre, quoi que l'on pleure, quoi que l'on imagine, il n'est pas si facile de mourir d'amour. Méfions-nous plutôt de la pneumonie...

Le samedi matin, je me sentais déjà mieux et, le dimanche après la messe, comme à l'accoutumée, je m'installai devant ma fenêtre, le nez collé à la vitre et, dans un état de terreur absolument délicieux, j'attendis le passage d'une petite fille de 12 ans et le geste qui allait changer ma vie pour le meilleur ou pour le pire.

Le défilé me parut interminable, je haïssais quiconque n'était pas Lucille, je piétinais avec rage chaque minute d'attente. Ah ! Dieu du ciel ! La voilà enfin ! Le joli chapeau, les deux rubans rouges, les deux

134

joues rouges, les souliers rouges en cuir
verni, les cheveux à la Jeanne d'Arc, blonds
comme l'or, la voilà, mesdames et messieurs,
la plus belle fille du monde. Elle existe, elle
marche, elle est à quelques pas de moi, elle
sait que je la regarde, elle n'a pas reçu de
lettre cette semaine, elle doit bien comprendre que je suis malheureux, que ma vie est
entre ses mains, on est bien un peu femme
à 12 ans. Elle se rapproche, elle bavarde avec
ses deux sœurs, elle rit, elle s'esclaffe.
Comme si le moment était au blablabla et à
la rigolade ! Elle passe devant ma fenêtre...
Lucille ! Est-ce Dieu possible ? Elle ne m'a
pas regardé ! Je ne la vois plus maintenant
que de dos, les deux rubans rouges, j'ai le
cœur qui bat la chamade, un sanglot mal
engagé m'étrangle, j'ai mal...

Et puis, ô miracle, elle se retourne ! Elle
me sourit ! Merci, mon Dieu ! Elle insiste !
Elle m'aime !

À partir de ce premier sourire, les
évènements se précipitèrent. Il avait fallu six
mois, c'est-à-dire vingt-quatre dimanches-
après-la-messe pour en arriver là. Il en
faudra autant avant qu'on ne se parle, à la
sauvette, sur le parvis de l'église. Et un jour,
après cent quatre dimanches enchantés, on
s'est retrouvé dans la paix moite du vieux
cimetière, derrière la sacristie. Dangereu-

sement vivants au milieu des morts. Ses joues toutes rouges, son cou aux reflets d'opale, ses épais cheveux blonds, toutes ces merveilles à la portée de mes mains innocentes. Avec des précautions de chats onctueux et sournois, nous nous rapprochions l'un de l'autre, prenant le temps qu'il fallait, et enfin, le cœur palpitant et les jambes tremblantes, nous nous sommes embrassés sur la bouche et j'ai bien failli en mourir de plaisir.

Ma grand-mère ne soupçonna jamais la vérité. Mais c'est bien à cause de Lucille F... que le clergé du Québec compte un curé de moins.

PREMIER AMOUR

par Claude Jasmin

Première station : les yeux, son regard

Comme pour un chemin de croix mais en seulement cinq stations, vous raconter mon premier amour, les yeux et la bouche, autrement dit le regard et le son de sa voix aussi, et puis, le corps, autant dire sa démarche, son allure. Pour la première fois, quatrième station, le sexe, enfin, enfin ; adolescent on y rêve tant, et puis ça va y être : je suis en amour ma foi ! Mais oui ! Ça monte à la tête alors que partout on dit que c'est le cœur qui est engagé. Pauvres petits cœurs gravés partout. Mais aussi, comment bien graver des cerveaux au dossier des bancs publics ?

Elle ne parle pas. Pas encore. Elle me regarde, moi qui la regarde. C'est toujours comme ça, n'est-ce pas ? Première station de l'amour. Je ne sais rien d'elle, pas même son nom ! Qui est cette jolie brunette de 15 ans ? Mes yeux ne la quittent plus. Dans cette salle de danse bancale, « Normandie », sur la grève du lac des Deux-Montagnes, au pied des collines d'Oka, il n'y a plus rien à regarder, il y a les yeux doux de cette brune jeune fille. Dans son sweater blanc, avec sa jupette bleue, ses chaussettes de laine blanche, ses loafers lâches, une gitane me regarde la regarder. Bing-bang essentiel, c'est le début d'un temps tout neuf. Mon cœur bat plus vite. Mystère jamais vraiment expliqué : le coup de foudre ! Mon premier vrai grand coup de cœur. Mon regard la traque, elle va au juke-box illuminé, elle va au comptoir pour du chocolat et de la bière d'épinette, elle revient à la loge de bois, elle parle avec une copine toute blonde, elle va prendre l'air frais sous le porche de Normandie. Elle revient et elle vérifie discrètement : oui, je ne la lâche plus. Des yeux. Oh les beaux yeux ! Cette inconnue résume tout. Je sens qu'elle va concrétiser d'autres élans, elle ressemble à la grande sœur de Tit-Yves Dubé que j'aimais en secret, une « vieille » de 20 ans quand j'avais 15 ans !

Deuxième station : la bouche, sa voix

Oui, le regard d'abord. Une gitane. Je chantonne : bohémienne aux grands yeux... de café ! Cette fille ressemble à la belle infirmière de Sainte-Justine quand on m'a fait une appendicectomie, à 13 ans. Garde Deslauriers, une vieille de 25 ans quand j'avais 13 ans ! Fini les amours irréelles, voici,

138

chez Normandie, une meilleure réplique du type qui m'excite, m'énerve, m'innerve, me met le cœur à l'envers. Cupidon me donne la chance de la réalité. J'ai 17 ans maintenant, assez des rêvasseries. Il faut vite que j'entende sa voix. Jolie bouche gourmande, ses lèvres tellement sensuelles, je veux vite le son de sa voix, mille millions de forces mystérieuses me poussent à sa loge couverte de graffiti. On danse. Je parle. Elle va parler. Mais oui, j'aime déjà sa voix ! Elle se nomme Micheline. Il n'y a plus aucun prénom de fille plus beau, bien sûr. Il a été inventé pour elle, c'est entendu. C'est un prénom doux. Ce n'est pas vrai qu'elle a dit des banalités. Tout me semble si radieux, le simple nom de l'avenue Lauzon où sa famille possède un chalet. Avenue Lauzon, à quelques pâtés de chalets de chez moi, vit une jeune fée au regard si sombre, à la voix si caressante.

Chaque mot qu'elle prononce me semble de la musique. Ça y est, petit dieu Cupidon, milliers de fléchettes amoureuses qui me traversent ; c'est si bon, c'est la vie en rose, c'est une chanson vieille, c'est la bienvenue maladie d'amour. Ce sera le plus bel été de nos vies. Demain, nous parlerons encore ensemble. Elle adore la danse, le boogie woogie et le « slow », j'aimerai donc danser moi aussi. Sa bouche fait des sourires qui me bouleversent. Je suis déjà fou d'elle, ma foi ! Il était temps, j'étais amoureux niais de la compagne accidentelle lors de la première communion. Cette fois, avec Micheline, fini le flou, le rêve, le secret. Oui, on va « sortir » toujours ensemble. On va former un couple. Vite, nous deviendrons inséparables. Matins, midis, soirs ? Ensemble !

Troisième station : le corps, son allure

Nous dansons soir après soir, pressés l'un contre l'autre, «Temptation», à cinq sous dans la machine, mille fois remis. D'autres tounes populaires en 1948. Chaleurs de juillet ? Point d'accablement pour les amoureux. La pluie ne nous importune plus, occasions multipliées d'aller danser encore chez Deauville, à côté de Normandie, à La Rotonde, chemin de Lachapelle, ailleurs. Micheline, c'est évident, a un corps parfait. Je fais déjà des projets. Un soir, à la Plage Robert, derrière la grande haie de cèdres, premiers baisers brûlants, premières caresses. Prudence ! Ah ces besoins de nos jeunes corps fiévreux ! Ses hanches, tendre sculpture qui me hante ! Sa fine taille qui remue sous mes bras. Je m'affole ! Son cou ? De biche, évidemment. Micheline a les plus belles jambes de tout

140

Pointe-Calumet, bien entendu. Prudence !
Initiation... Mes mains tournent sur elle, ne
pas oser trop tôt caresser ses seins si beaux,
si beaux !

Nous attendions depuis si longtemps,
tant de saisons à nous retenir, à nous priver,
à jongler au sexe opposé. J'ai 17 ans maintenant, elle a 15 ans, nous ne sommes plus
des enfants. Audace, je touche sa poitrine.
Elle a dit : « Non, non ! » Mais elle a fermé
les yeux. On ne rit plus. Pas même un
sourire. Ces premières découvertes de nos
corps sont des moments quasi tragiques.
Nous voilà déjà déchaînés. Les secrets, du
milieu de nous, volent en éclats, ces secrets
physiques. Le cinéma et tant de ses sugges-
tions prennent fin ici ce soir. Voyez deux
grands enfants qui, enfin, enfin, enfin, se
touchent partout. Fines sueurs du désir furibond. Comment ferons-nous pour nous
arrêter désormais ? Crise merveilleuse. Nos
mains nous explorent complètement. Je ne
pouvais pas imaginer tant de bonheur à
embrasser goulûment deux seins soudai-
nement mis à nu ! C'est la foudre ! Nous
retenons des cris. Joie trépidante ! Elle est
reine de moi, mon impératrice a tous les
droits. Elle touche mon sexe, oh ! mais c'est
le paradis terrestre sur cette plage ! Il n'y a
ni serpent dans un pommier, ni ange armé

furieux ; c'est le début du monde pour nous deux !

Quatrième station : le sexe, son désir

Nous sommes devenus le couple emblématique des plages. Il y a des moqueurs et mes amis sont déçus. Fini la pêche, les excursions dans la montagne, dans l'Île Bizard, de l'autre côté du lac, les jeux « scouts ». Mon frère, Mario-Raynald, boude. Il a perdu son animateur. Maman s'inquiète : « Fais bien attention, c'est fragile, tu sais, une jeune fille. Et il y a ces examens que tu dois passer « en reprise », y travaille-t-y un peu ? » Non. Il n'y a plus rien sur terre en dehors du corps de Micheline. Je ne sais même pas encore que la perdant, j'en chercherai encore une réplique. Qu'il n'y a toujours pour moi qu'une brunette sombre, qu'elle est inscrite au fond du mystère des gènes, des chromosomes, depuis la « vieille » Dubé qui me snobait, depuis l'infirmière qui riait de mon trouble à Sainte-Justine, depuis même, à sept ans, la gamine Denyse Filion en robe nuptiale de première communiante. On va toujours vers une seule femme ? C'était donc Micheline, et c'était enfin l'amour total, l'amour physique bien réel. Nous nous couchons un sur l'autre, ce midi sur le radeau des Cousineau, ce matin, c'était sur la plage déserte des trappistes d'Oka, ce soir, ce sera derrière le dancing du Calumet Country Club. Découvertes jamais terminées. Nos bouches presque en sang. Des griffades. Des étreintes d'envoûtés qui nous font parfois gémir de plaisir. Nos mains bien remplies de nos sexes. Des pénétrations calculées. Éjaculer sur son joli ventre tout rond. Craindre, à cette époque, le grand malheur d'être une « fille-mère ». Inventer dix, vingt faux accouplements. Juste avant les cris étouffés, elle qui se redresse et qui se remplit la bouche de cette pesante liqueur du grand adolescent sauvage. Nous vivons en état d'ivresse perpétuelle. Enfin, je suis amoureux ! Micheline est toujours à mes côtés. Je l'appelle sans cesse. Nous formons un couple, un vrai, comme les « grandes personnes ». Septembre !, elle retourne étudier chez Rhéaume Business College et je dois retourner au collège Grasset !

Cinquième station : la tête, nos projets

Notre belle folie va durer. La ville a changé. Nous la revoyons avec d'autres yeux. Tous les parcs sont bien plus beaux désormais. Je redécouvre son Plateau Mont-Royal, elle fait une entrée triomphale dans ma petite patrie, Villeray. Nos études en souffrent. Je deviens nul en latin comme en grec, les mathématiques ne passent plus ! Tous les cinémas de nos deux quartiers sont des abris commodes. Le noir et nous qui fuyons les récits d'images cinétiques. Nous remuons beaucoup, les placeuses s'en inquiètent, vilains coups de torches électriques sur ces amoureux enlacés tendrement et qui vivent un cinéma plus excitant que celui de Dorothy Lamour ou de Clark Gable. Maintenant, nous faisons des projets. Maintenant, il y a des serments. Nous installons l'avenir. La tête s'en mêle. Nous aurons une maison dans un champ fleuri au bord de la rivière Des Prairies, nous aurons des enfants, je ferai de la peinture. Ou des poèmes uniques. Je serai journaliste ou, peut-être, céramiste. Nous échafaudons le futur.

1949. Nos cerveaux sont en ébullition, la tête y est. Certes il y a eu son regard de feu d'abord, ses yeux de velours noir et puis sa bouche qui me mordait partout, sa voix voluptueuse qui m'a tout de suite ensorcelé. Bientôt, nos sexes iront au fond des choses de la vie. Nous nous retenons mal. Nous avons mal au corps. Nous nous épuisons nerveusement. La tête veille, négocie patiemment avec la raison, empêchée par nos pauvres statuts d'étudiants privés de tout. La tête nous fait la leçon. Ça va durer trois années. Saisons après saisons, nous

144

resterons le couple emblématique. Plus tard, destin, je trouverai la réplique finale que dictent, mystère, nos gènes. Un fabuleux sosie de Micheline, de Garde Deslauriers, de la sœur à Dubé, de la « tite » Filion-la-communiante aux yeux doux. Elle se nomme Raymonde ! Elle est toujours brune et a de belles jambes. Tous les jours, et jusqu'à la mort, nous nous aimerons comme deux adolescents derrière des bosquets touffus imaginaires. Nous sommes les bienheureux, prisonniers et geôliers à la fois, de l'amour. Elle danse bien, a les yeux doux, une voix ensorcelante... et le reste.

MON PREMIER AMOUR

par Louise Leblanc

Si j'ai connu une période noire, ce fut celle dont je vais vous entretenir maintenant.

J'ai cru que je n'en sortirais jamais !

Seul l'amour...

J'étais complètement désœuvrée, vivais dans des conditions lamentables ; un lieu d'habitation sombre et petit où j'étouffais. Depuis, je suis claustrophobe. Quant à mon alimentation, je préfère ne pas en parler. Je n'en parlerais pas serait-ce sous la torture ; j'ai tout oublié, voulu tout oublier. Indispensable à mon équilibre. Préférable pour mon appétit.

Le pire, c'était la solitude. Ah, si j'avais eu quelqu'un à qui... Qui aurait écouté mes... Mais comment attirer, puis retenir un de mes semblables dans l'état où j'étais ? Comment aurais-je pu l'inviter chez moi ? Pour lui offrir quoi ? Impensable, impossible même...

J'étais « soporifiée » par ma sempiternelle rumination de pensées qui n'étaient même pas noires. En fait, mon esprit souffrait de daltonisme ; il n'aurait pas reconnu un arc-en-ciel à cinq pas.

Je n'avais d'opiniâtre qu'une morosité qui engraissait aux dépens de mon énergie. Quand elle n'eut plus de chair à bouffer, que ma résistance fut devenue squelettique, elle me quitta, la garce. Je la regrettai. Elle partie, ce fut le vide, une sorte de coma. On m'aurait branchée à un lecteur de sentiments, on aurait dû vérifier que l'appareil fonctionnait ; le néant, il y aurait eu sur l'écran, ou alors une ligne droite, plane, l'autoroute transcanadienne traversant les provinces de l'Ouest. Idem pour le temps. Il se traînait devant moi, lisse, sans un grumeau de personnalité, jours et nuits dilués, un fil qui, lui, ne se tirait pas, avait plutôt tendance à s'étirer pour mieux s'enrouler autour de moi, me ficeler comme un rôti et m'enfourner pour l'éternité.

Recroquevillée dans ma cocotte-siècle, j'avais l'impression de tomber dans un gouffre sans fond où plus rien ne pouvait m'atteindre, où personne, jamais, ne pourrait me rejoindre.

Sporadiquement, résonnaient sur les parois des bruits sourds. Au début, de brefs espoirs m'en vinrent ; on se souvenait de moi, on s'était dérangé pour moi, on venait jusqu'à ma porte et frappait. Hélas ! ce n'était qu'un mirage sonore, une chimère qu'inventait ma déprime compatissante pour m'aider à durer... En réalité, c'était mon cœur qui montait la sono de son tam-tam et me rabâchait sa morale ringarde : « Boum-tu-vis, boum-tu-vis, youp-là-boum-tu-vis. » Je ne vis rien du tout, surtout pas l'intérêt de vivre ainsi. C'était ça, la vie !

« Ferme-la ! Tu déconnes ! »

De rage, j'envoyais paître mon cœur. Je lui disais d'aller voir ailleurs si j'y étais, parce que là où j'étais, je n'y étais pas. Je devais rêver. Je faisais un cauchemar. Ce fut là mon ultime utopie ; je me réveillerais un jour. Mais de raisonner ainsi m'amena à faire le constat éclatant de mon existence : je pensais, donc j'étais. Pour géniale que fût cette illumination, sans doute inédite (si d'aventure ma vie se prolongeait, il me faudrait vérifier), elle n'en sonna pas moins le glas de mes illusions.

Restait l'amour.

J'en avais une trop vague idée pour y croire vraiment. Et puis, quel désintéressement n'aurait-il pas fallu à celui qui aurait éprouvé un penchant pour moi, un penchant suffisant pour le faire tomber jusqu'à moi, un amour aveugle, car je n'étais pas belle à voir. En somme, il aurait fallu un miracle.

Je peux bien l'avouer maintenant, à ce moment-là, j'ai songé à en finir. Disparaître. Mais comment ? Devant l'ampleur de la tâche, j'y renonçai ; je n'avais ni les moyens, ni la force de tout planifier.

Une dernière idée, qui me sauva, réussit à émerger de la mélasse cérébrale dans laquelle s'engluait alors ma raison : la cure de sommeil. Puisque ma vie était un désert, un cauchemar éveillé, je n'avais qu'à dormir dessus, à fuir dans un monde encore plus désert, si reculé que j'escomptais ne pas m'y rencontrer.

Je rassemblai les moindres parcelles de ma capacité de concentration et les focalisai sur l'unique aspiration qui m'animait : m'éteindre, atteindre le point zéro de mon existence et partir, si possible définitivement, pour l'inconscience.

Pour partir, je partis ! Neuf mois, m'a-t-on appris. Et j'aurais filé le parfait sommeil jusqu'à la fin du temps, pour ainsi dire à tout jamais, si quelqu'un ne s'en était mêlé. Le miracle que j'avais tant attendu du vivant de ma conscience se produisit enfin, de façon inopportune, c'est du moins ce que je pensai sur le coup.

Je lui en voulus, à cette femme (l'amour, c'est dit, me fut révélé par une femme), de mettre fin à mon hibernation, de vouloir à tout prix m'extirper de ma tanière dans l'intention de... De quoi ? À peine éveillée, c'est la première question que je me posai. Sibyllins m'apparaissaient son intérêt et le but qu'elle poursuivait. D'autant qu'elle faisait montre à mon endroit d'une telle brusquerie : me pressant, me bousculant, criant après moi... Et tout ça sans explications, comme si je n'avais eu aucun entendement. Il n'empêche que c'est avec ma tête que j'entrevis le bout du tunnel et que je compris que le jour de ma délivrance n'était pas loin. Il faut croire que j'étais mûre puisqu'il survint dans la minute... c'était le 10 juin 1942, le jour de ma naissance.

Ce que j'ai ressenti au moment de mon arrivée sur terre est indicible ; une légèreté, un bonheur, un sentiment de liberté comme jamais, il me semble, par la suite, je n'en ai plus éprouvé. J'avais l'impression de respirer pour la première fois. Une euphorie ! J'inspirais goulûment, jusqu'à m'en étouffer, cet air nouveau qui s'engouffrait à une vitesse vertigineuse en balayant sur son passage les scories de mon passé. Et j'eus la certitude absolue que tous les espoirs m'étaient permis.

Beaucoup plus tard, j'ai compris combien j'avais été présomptueuse, que rien n'était plus incertain que le devenir d'un être humain, que si tout était possible, rien n'aurait été possible sans... sans tant de choses, soumises à tant de hasards.

Mais les dieux, ou les fées, se penchèrent sur mon berceau. Et ma mère. Qui dut ne pas vouloir se fier à ces nourrices problématiques. Elle se mit à la tâche. Sans doute pensait-elle que si elle m'avait fait venir de si loin ce n'était pas pour me laisser tomber aussitôt arrivée.

Mon corps garde en mémoire les caresses qu'elle semait sur ma peau tels des confettis de bienvenue, ses rondes fréquentes de baisers, sa tendresse fluide qui s'infiltrait en moi.

Je me demande comment elle faisait. Une magicienne ; de l'amour, elle en avait tout le temps, pour tout le monde, elle en sortait de partout. Et le plus incroyable, c'est qu'il était invisible. À vrai dire, c'est le seul amour libre que j'ai connu...

J'en profitai dès l'âge de cinq ans...

Un jour d'hiver radieux, poussée par la force du destin, je suivis mon frère et ses amis dans une de leurs expéditions quotidiennes. La peur de les perdre ne me quitta pas, car c'est toujours avec quelques secondes de retard sur eux que j'arrivais aux coins des immeubles ou à l'intersection des rues qu'ils enfilaient en explorateurs aguerris sans se soucier de moi le moins du monde.

Seul Patrick jetait de temps à autre un regard derrière lui. Je n'en tirai pas de conclusion hâtive. J'avais en effet remarqué que, étant plus... enveloppé que les autres, il s'essoufflait plus vite et, tout comme moi, perdait parfois de vue le peloton de tête. Son attitude ultérieure m'apporta cependant la confirmation de l'intérêt qu'il me portait.

Nous étions arrivés à la frontière d'une contrée éloignée, un muret de pierres au-delà duquel vivait une tribu ennemie et dont une horde nous attendait de pied ferme. Aussitôt, se croisèrent les : « PIG ! » et « FROG ! », un charabia d'insultes que je ne comprenais pas, comme m'échappait d'ailleurs l'ensemble de la situation. Le combat ayant commencé, je remis à plus tard mes interrogations et je fis mon devoir de soldat : je lançai un boulet de neige en hurlant haineusement : « FIGUE ! »

Le général anglais fut atteint en pleine poire, mais c'est moi qui tombai à la renverse ; notre allié irlandais, Patrick, venait de m'exprimer toute son admiration par une bourrade amicale...

Après cette journée mémorable où je m'étais couverte de gloire, où j'avais découvert le monde, vécu de nouvelles émotions, je n'eus plus qu'un désir : repartir, retrouver les autres, Patrick... Étant donné les contraintes liées à mon âge, ce fut surtout en rêve, mon baluchon rempli de confiance, de projets et de biscuits. Puis je partis pour de vrai, de plus en plus fréquemment, tout en dissimulant à ma mère le plaisir que j'y trouvais ainsi que l'objet de ma flamme. Pendant des années, je me suis fait croire que c'était pour la ménager alors que je ne faisais que ménager mes arrières. Le jour où je l'ai compris, je me suis enfin décidée à la quitter et à assumer jusqu'au bout ma passion ; je suis allée rejoindre mon premier amour : la vie.

Si nous sommes toujours ensemble malgré ses nombreux défauts, c'est qu'elle est encore auréolée de mystère. Mais qu'un matin blafard je la voie dans toute sa laideur crue et qu'elle me donne la nausée, je n'hésiterai pas à l'abandonner pour aller vers d'autres latitudes, respirer un air nouveau qui balaiera toutes les scories de notre passé, avec, en moi, l'espoir secret et rassurant que ma mère sera là pour m'accueillir et me donner ce qu'il faut pour vivre comme une âme en paix...

154

PREMIER AMOUR

par Roger Lemelin

C'est curieux : quand résonne le mot amour, c'est le visage de mon père qui accourt du passé. Et une scène qui remonte vers 1925. Mon père est souriant devant maman, si belle, si gaie, les cheveux cuivre frangés à mi-front, à la Mistinguett, qui danse un charleston endiablé et qui l'invite, lui tout à fait émerveillé, à la joindre sur le linoléum de la cuisine. Maman appelle mon père à travers son rire perlé « Viens, Jos viens ! ». Mon père lui sourit, mais il ne bouge pas, triturant de ses longs doigts le canotier qu'elle lui a planté sur la tête. À cette époque, papa ne parlait presque jamais. Il se préparait, je suppose, à se refermer complètement sur lui-même.

Le premier amour ? Quand j'étais tout petit, il m'arrivait le dimanche matin de me lever en même temps que mon père, vers six heures. C'était sa journée de grasse matinée : en semaine, il se rendait à son travail pour cinq heures, après avoir, l'hiver, allumé le poêle et réchauffé nos mitaines de laine rouge et, l'été, après avoir bourré le fourneau de tranches de pain que nous trouvions à notre lever dorées et croustillantes. Mais le dimanche, c'était son grand matin de la semaine. Aussitôt debout, il s'installait dans la cour pour cirer les chaussures de ses enfants, qu'il alignait ensuite près de la machine à coudre. Puis il se baignait, se rasait, taillait sa petite moustache de broche que maman appelait « son porte-crottes chéri », lequel se transformait en stalactite quand il pelletait les monceaux de neige qui nous isolaient de la rue. Enfin, il endossait son costume de noces bleu marine, s'asseyait dans le petit salon, le genou dans ses doigts croisés, le regard perdu. Plus tard, cette image se confondit chez moi avec celle de Marcel Proust, dont il était le parfait sosie. Mais mon père n'était qu'un simple employé aux silos à grains du port de Québec, qui me sont toujours apparus comme de grandes orgues qu'il faisait vibrer d'une musique fabuleuse. Normal, c'était mon père.

Or, ce dimanche matin-là, il m'appelle. Je me rends au salon. Il m'assoit sur ses genoux. Ai-je fait un mauvais coup ? Va-t-il me taper ? Toute la semaine, j'ai été fort dissipé. Maman a même pleuré. Mes fesses se crispent. Alors, après avoir longuement hésité, il me dit de sa belle voix profonde : « M'aimes-tu ? » « Ah, oui ! » « Beaucoup ? » « Beaucoup beaucoup ! Même que le soir, avant de m'endormir, j'ai peur que tu meures. Et je pleure. Je veux pas ! Tu mourras pas, hein, papa ? » Il me semble, à travers le souvenir, revoir cette larme couler sur sa joue et se perdre dans son porte-crottes, larme que l'hiver aurait transformée en diamant stalactite. Il me dit : « Moi aussi, Roger, je t'aime. Maintenant va jouer. »

Par la suite, je ne me souviens pas qu'il m'ait adressé souvent la parole. Il devenait graduellement sourd et s'enfonçait dans une solitude où il me semblait inaccessible. Vers 10 ans, je lui enseignai les règles de la multiplication et de la division, ce qui lui permit d'obtenir une promotion. Mais plus je m'instruisais, plus il paraissait s'éloigner de moi.

Qu'ils sont heureux ceux qui peuvent échanger avec leur père, lui faire partager ambitions, chagrins, joies ! Je me sentais devenir orphelin de père. Pourtant je suis souvent allé à la pêche avec lui. Hélas !, il ne fallait pas parler : la voix effarouchait les truites. Je lui en ai voulu de ne pas m'avoir raconté son enfance, parlé de son père. Que de fois, dans les moments difficiles de ma vie, j'aurais souhaité qu'il me serre dans ses bras. Il m'arrive, lors d'un coup dur, de m'adresser à l'âme de maman, mais je suis à la veille de l'appeler, lui, pour lui dire que je l'aime toujours, même s'il ne me le demande pas. J'ai appris récemment qu'en compagnie de certaines personnes, mon père riait et parlait beaucoup, même s'il était complètement sourd. La jalousie m'a brûlé le cœur. Une vraie peine d'amour.

L'autre jour, j'ai surpris mon fils au téléphone avec son ami : « Mon père ne me parle jamais ! » Eh bien, un de ces dimanches matin, je vais convoquer mes enfants et mes petits-enfants dans le salon, je vais prendre mon genou dans mes doigts croisés et je vais leur demander : « M'aimez-vous ? »

LE CHOUCHOU DE
LA MAÎTRESSE

par André Major

À l'âge où les petits garçons adorent leur mère, paraît-il, je préférais des amours impossibles. C'est ainsi que je tombai amoureux de ma maîtresse de première année qui me le rendait en coups de règle sur les doigts. Être gaucher, pire qu'un handicap physique, c'était alors une sorte de rébellion ou, à tout le moins, une manifestation de mauvaise volonté. Ma mère avait bien tenté de m'en corriger, mais rien à faire, dès qu'elle tournait le dos, je retrouvais l'usage de ma main gauche. Je tombai donc amoureux de mademoiselle Dumontier en la voyant entrer dans la classe, grande dame rousse, très blanche de peau, avec des lèvres aussi rouges que les ongles. Le parfum qu'elle répandait exerçait sur moi une espèce d'hypnose et me réduisait à une totale docilité.

Sous son influence, je mis moins de trois mois non seulement à apprendre à écrire, mais à devenir un assez adroit droitier, performance si exigeante que mes résultats scolaires s'en ressentirent. Je ne traînais pas

159

à la queue de la classe, comme on disait, mais c'était tout comme, étant donné que j'étais fils d'instituteur et condamné de ce fait à faire partie du peloton de ceux qui raflaient les médailles d'excellence.

Les fêtes passées, comme j'avais parachevé mon virage à droite, j'eus droit à l'indifférence de mademoiselle Dumontier à qui, pourtant, je ne cessais de rêver dans le demi-sommeil de l'aube tandis que mon père arpentait le corridor en affûtant sa lame de rasoir dans le creux de sa main. Cette rêverie, si elle se prolongeait, et je m'arrangeais pour qu'elle se prolonge, avivait mon envie de pisser au point de la rendre parfois insupportable. Pour redevenir le chouchou de la maîtresse, celui qu'elle gardait après la classe pour laver le tableau et vider la corbeille, j'étais prêt à tout, à revenir à la main gauche et à encaisser de nouveau ses coups de règle. Mais elle m'avait sans doute vu venir et elle se contentait, quand elle me prenait en flagrant délit de régression, de me faire copier cent fois : *Je n'écrirai plus de la main gauche*. À ce jeu-là j'étais perdant, n'obtenant qu'une corvée de plus, une fois rentré à la maison.

Je fus bientôt arraché à mon obsession amoureuse par l'obligation qui nous fut faite, ce printemps-là, de méditer sur nos péchés

avant de passer au confessionnal. Le parfum de mademoiselle Dumontier, son beau visage et cette voix aux accents de laquelle je vibrais comme un instrument de musique, tout ce qui m'avait subjugué jusque-là s'évanouit dans la fièvre qui me cloua au lit. Le médecin du quartier, un cousin de mon père, après m'avoir ausculté de la tête aux pieds, s'avoua impuissant à diagnostiquer mon cas. J'étais seul à me savoir la proie d'une frayeur peut-être mortelle.

À force de m'interroger, ma mère finit par me faire avouer que je me sentais innocent des péchés dont la maîtresse nous avait communiqué la liste. C'était cette certitude naïve qui me faisait trembler à l'idée de bientôt comparaître devant mon confesseur : n'avoir pas de quoi se repentir était bien pire que d'être accablé de peccadilles. Ma mère commença par me promettre l'harmonica dont je rêvais depuis des mois, puis me révéla les péchés dont je m'étais rendu coupable depuis que j'étais au monde, péchés de gourmandise surtout — quelques jours plus tôt elle m'avait pris la main dans le pot de cette cassonade fraîche dont j'aimais laisser fondre les grumeaux sur ma langue.

Convaincu de ma culpabilité, je m'abandonnai au confort d'être semblable aux autres et ma fièvre tomba aussi subitement qu'était apparue ma passion pour mademoiselle Dumontier. Devenu droitier et coupable, j'attendais l'heure de la confession avec quelque chose qui pouvait ressembler à de la sérénité. Mais ce n'était pas si simple, car au moment de m'agenouiller sur le petit banc du confessionnal, je sentis une terreur froide me figer sur place. En entendant l'huis glisser et le prêtre chuchoter je ne savais trop quoi, je me mis à pisser sans la moindre retenue, tandis que je récitais le *Je crois en Dieu*, puis la triste litanie de mes fautes, omettant la pire de toutes, le plaisir trouble que je prenais à évoquer l'image de mademoiselle Dumontier dans la moiteur des draps tandis que, dehors, tintaient les pintes de lait que le laitier posait devant le seuil des maisonnées encore endormies.

Même si elle avait renoncé à me chouchoter, et même si j'avais échappé au piège de son parfum, je rêvais toujours d'elle, comme si ma passion s'alimentait davantage de son souvenir que de sa présence physique. Des années ont passé, d'autres amours, mais pas l'émotion presque violente d'alors, j'irais même jusqu'à dire la dévotion que j'avais pour cette grande rousse sans qui, il me semble, je ne serais jamais parvenu à dompter mon instinct de gaucher et à me plier à l'usage d'une main demeurée maladroite,

sauf peut-être quand elle se met au service de l'écriture. Si bien que j'en suis arrivé à croire que des faits et méfaits de la main gauche, seule la droite peut témoigner.

LE GARÇONNET AMOUREUX

par Clément Marchand

Par cette chaleur écrasante de juillet, on commence à penser que la dépouille mortelle que l'on transporte avec solennité sous les feux d'un soleil brûlant pourrait se mettre à bouillir, sinon à se liquéfier. De nos jours, on ne promène plus, comme autrefois, l'évêque défunt dans les rues de sa bonne ville, avant de le ramener en grand apparat sous le porche de la Cathédrale pour les obsèques.

Quel spectacle presque hollywoodien s'offre à l'errant, au pèlerin que je suis !

Quelle réalité insolite, surgie là sur l'asphalte incendié !

Pendant que tinte le glas à la tour, je me tiens sur le trottoir, mêlé à la foule bon enfant, et j'aperçois, avec saisissement, la tête mitrée dodelinant sèchement à chaque aspérité qu'absorbent les pneumatiques du corbillard, transformé en affût pour la circonstance et au haut duquel on a hissé la bière en position légèrement inclinée. On voit très bien ainsi les mains posées sur l'étole, gantées de mauve et, au-dessus du rochet de même teinte, le visage cendreux de Son Excellence, classiquement détendu par l'embaumeur.

Et l'on a facilement l'impression que les traits de ce masque livide bougent insensiblement et qu'il pourrait s'agir de ceux du gigantesque acteur d'un film jouant un suspense à la Hitchcock. Tout le monde observe le corps hiératique et vacillant, mais remarque aussi un cercueil aux dimensions inusitées. Même dans la mort, le pontife septuagénaire a conservé sa stature de géant.

Ce cortège imposant, je le vois s'immobiliser maintenant sous le porche — presque distrait et l'œil mi-clos sur des existences antérieures, pendant que des souvenirs restés vivants après tant d'années gravissent à pas nostalgiques les marches de ma mémoire. Le vénérable évêque que l'on déposera bientôt dans la crypte aux côtés de ses prédécesseurs entrera peut-être en même temps dans l'oubli pour tant et tant de ses frivoles ouailles, mais pas pour moi, tant que je vivrai. Ne figure-t-il pas l'une des composantes de mon passé ?

Et, tout récemment, pour en évoquer une phase marquante, décisive même, ne suis-je pas accouru, à son invitation, dans la

ville de mon enfance ! Et n'ai-je pas été
discrètement introduit à son chevet ?

***

Il est dans sa chambre qu'il ne quitte
plus.

— Vois où j'en suis rendu, Robert. Je
vis en pyjama, et même une légère souta-
nelle me pèse.

Par ces simples mots, il a supprimé les
distances.

De son siège, il me tend sa large main
et, scrutant mon regard, essaie d'y découvrir
sa vérité, instantanément dissimulée par moi.

— Tu ne saurais croire comme je suis
heureux de te voir. Tiens, assieds-toi là, en
face de moi, me dit-il familièrement.

Le décor austère de la pièce n'a rien
pour attirer mon attention qui, aussitôt, se
porte sur le malade.

— De quoi souffrez-vous donc,
questionné-je avec une curiosité fruste que
je n'ai pas su réprimer, non plus que mon
étonnement devant le spectacle inattendu
de ce corps autrefois si élégant, si dégagé,
et maintenant alourdi sur lui-même dans un
fauteuil qui a peine à le contenir, tant les
chairs hypertrophiées paraissent excessives.

167

Et aussitôt, je le prie de m'excuser de ma question trop directe.

— Ce n'est plus ici un secret pour personne : l'emphysème pulmonaire dont je souffre depuis longtemps s'est soudain aggravé. Soigné quelques semaines à l'hôpital, j'ai demandé à revenir chez moi, comme je sentais mon état empirer.

— Est-ce donc si grave, Monseigneur ?

— Je respire avec peine, comme tu peux le constater. Je ne pourrais me lever et aller vers la porte sans étouffer. Avec franchise le médecin m'a dit qu'il me restait peu de temps pour mettre ordre à mes affaires.

Et esquissant vers moi un sourire contraint, il explique :

— Je suis écrasé par cette masse qu'est devenu progressivement mon corps... à cause de la vie sédentaire que j'ai menée... et qui est celle de l'homme d'Église, surtout d'un évêque que l'on s'ingénie à conforter... et qui devient comme un coq en pâte.

À chacune de ses phrases, le souffle manque et j'entends le grondement de ses bronches embarrassées, mais une potion de théophylline que l'infirmière lui apporte l'aide dans son effort pour expliquer les choses.

Sans plus de remarques sur son état, il me pose quelques questions polies sur ma vie de professeur à l'étranger puis, comme résumant sa pensée, après un instant de silence, son regard dans le mien, il me lance les mots-charnières, explicatifs de notre singulière réunion :

— Nous avons quelque chose en commun, n'est-il pas vrai ?

— Je dois en convenir, Monseigneur.

— Nous avons aimé la même femme.

— Et c'était Mère Directrice.

— Pour toi, ce fut sûrement le premier amour, cher Robert. Quant à moi, ce fut l'amour de ma vie, même si je n'en connus que l'ébauche... Tel est le secret qui nous lie.

— Qui pourrait penser cela ?

En effet, jamais peut-être les murs d'un évêché québécois n'ont entendu pareil aveu sorti des lèvres d'un prélat qui a décidé de rappeler à lui les éléments essentiels d'une existence qui va bientôt cesser. Voilà donc le pourquoi de ma présence au chevet de ce personnage que je n'ai pas revu depuis l'époque où, petit garçon orphelin, je fréquentais l'internat dont il avait la charge spirituelle, quarante années plus tôt.

Et pendant que l'ancien aumônier, à phrases haletantes, évoque comme à part soi ses propres souvenirs, je ne puis empêcher les miens de se dévider, parallèlement aux siens, dans un feed-back rapide, sorte de ressouvenir accéléré d'une époque disparue.

***

Elle était belle comme un ange, cette directrice. Le poison de la jalousie, voilà ce qu'elle avait déposé dans mon âme d'enfant. Une blonde au teint de rose, dont la cornette et les amples jupes n'arrivaient pas à dissimuler les charmes, telle était celle qui m'avait ensorcelé. Blonde ? du moins, on pouvait le penser, sans en être sûr, car jamais la moindre de ses guiches ne s'ourlait hors de la coiffe.

Je me reporte au premier jour où je la vis. Elle me tient sur ses genoux, console le bambin que l'on vient de lui confier. Mon visage inondé de larmes est près du sien. Un bras caressant me serre et, petit à petit, sous la douce pression, comme s'il s'agissait pour moi de la caresse d'une mère, ma peine s'atténue, mon petit corps se détend. Je pose le regard sur mon nouvel univers : la pièce gaie où je me trouve, le parquet ciré, des plantes fleuries qui sourient au jour à travers les rideaux. Et, tout à coup, me retournant, je regarde bien en face ce fin visage à l'ovale

pur, à la carnation délicate. J'admire les joues légèrement carminées, le nez mutin de la belle religieuse. Et me voilà consolé, moi, petit homme de six ans, précocement vieilli, déjà tendu vers le bonheur. Et, dans cet instant, j'ai la révélation d'une féminité autre que celle de maman ; de l'altérité amoureuse, en quelque sorte.

C'est une vie en serre chaude qui commence pour moi. Que de souvenirs d'un passé qui m'apparaît alors dans toute sa plasticité, ses couleurs, ses odeurs même, notamment celles du réfectoire, le matin, alors que les Sœurs Françaises (encore peu familières, en 1918, avec cette nouveauté) nous font avaler à sec une bolée de *corn flakes* arrosés seulement de quelques gouttes de sirop, ce qui provoque gloussements et étouffements en chaîne dans l'œsophage des petits messieurs !.. Deux années passent.

Mère Directrice, tel était le nom dont j'appelais Sœur Ste-Élisabeth, les rares fois que je m'adressais à elle. Je la croisais ou l'apercevais vingt fois par jour. Elle se trouvait partout, se mouvant avec grâce dans les salles, les corridors, la cour, souriante, consciente de son ascendant étrange sur la communauté, de ce charisme troublant qu'accentuaient pour moi le froufrou de sa robe et l'imperceptible grésillement de la

171

cornette frôlant la guêpière. Je n'avais d'yeux que pour elle. Maintenant la huitaine, j'étais déjà à l'affût de la beauté, préoccupé de chatterie féminine, moi qui n'avais à peu près pas connu les mamours de ma petite maman. Ma situation d'enfant laissé à lui-même m'obligeait à bien percevoir les réalités de la vie et à fixer en tout mon choix sur ce que cette vie mettait de plus désirable autour de moi.

Il faut ouvrir ici une parenthèse pour remarquer qu'une des priorités de l'amour n'a jamais été, et de loin, la similitude des âges. Et souvent même — toute une littérature le confirme — les inclinations les plus vives, les affections les plus passionnées ont mis en présence des êtres d'un âge fort différent.

Et cet amour captif, tenu à la discrétion, voluptueux quoique inassouvi, tenace et sans cesse grandissant, on me dira que je ne l'ai pas vraiment vécu mais plutôt rêvé. Il a pourtant bel et bien existé. J'insiste pour le différencier des puériles amourettes de jeunets car il n'a pas été pour moi une banale histoire de billets doux, de baisers volés, de serments échangés au clair de lune, mais une difficultueuse approche du charme féminin à un âge où, encore petit page, l'on est à

172

peine sorti du champ de séduction de sa maman chérie.

Il n'y a rien de normalement prévisible dans mon entrée — je devrais dire irruption — sur l'aire de l'activité amoureuse. C'est plutôt l'inconvenance qui dirige mes premiers pas. Le roman de cette passion prématurée — car c'en est une véritable — rappelle que les élans du cœur humain, si souvent désordonnés, ont parfois un caractère de fantasque incorrection, pour ne pas dire d'extravagant désordre. Le penchant irrésistible d'un garçonnet pour la directrice de l'internat peut être un bon sujet de film, à condition que le cinéaste renonce à l'utilisation des lieux communs du licencieux et évite ainsi de déflorer le fragile mystère d'une affabulation aussi prometteuse que risquée.

Pendant que, le dimanche, les autres pensionnaires voyaient leurs parents dans l'accueillant parloir aux boiseries claires, moi, solitaire, je musais dans la cour presque déserte ; j'imaginais, j'anticipais la réussite affective, déjà habité d'un seul désir : celui de circonscrire Mère Directrice et, peut-être même, ne fût-ce qu'une seule fois, embrasser au moins sa main. Je cherchais le moyen d'y arriver et, tout à mon dessein, enfant aux yeux peu candides qui voit tout, espion qui

173

entend tout, sans cesse en mouvement, je combinais mon activité de façon à entrer dans son sillage, à me trouver dans son immédiat entourage et, si possible, à croiser ses pas, comme par hasard, selon les offrandes de la journée. Et la raison de cette technique ? On a chance d'être remarqué quand on est vu beaucoup. On finit par être accepté, de guerre lasse, de ceux auprès de qui on joue le rôle d'importun, de casse-pieds. Mieux encore, à un palier plus élevé, on arrive à être aimé de ceux dont on a subtilement investi le subconscient et suborné l'imaginaire.

En plus d'appliquer ces élémentaires principes, je me révélais suffisamment ombrageux pour ne pas avoir à me réveiller jaloux un bon matin. Ainsi, quel que soit le terrain, j'étais prêt en tout temps à défendre l'objet de ma flamme contre — et quoi d'autre ? — les déconcertantes habiletés, disons même froides audaces, de ce bellâtre d'aumônier, un type avantageux de sa personne, qui était loin d'avoir cet air d'innocence qui aurait si bien cadré avec sa soutane.

Pourquoi les histoires d'amour comportent-elles toujours trois personnages, éternel triangle ? Deux êtres s'aiment en le cachant, tandis qu'un troisième, qui l'a

174

découvert, aime aussi mais doit se contenter de regarder les deux premiers s'aimer. Et ce témoin misérable, ce serait moi ? Ne pratiquant aucune sorte d'altruisme, je ne tenais pas à descendre dans cette catégorie. Voilà pourquoi, de plus en plus défiant, que ce soit à la récréation en salle ou dans la cour, je m'arrangeais pour n'être jamais bien loin de ces deux-là. Si bien qu'une bonne fois j'entends la voix délicieuse m'interpeller :

— Robert, pourquoi tournes-tu sans cesse autour de nous comme un gros bourdon ? demande la belle religieuse dans un demi-sourire qui découvre une denture à l'ivoire éclatant.

— J'voudrais... j'aimerais vous entendre parler tous les deux, ai-je le toupet de répondre.

Cette fois, elle rit franchement, comme en se gaussant du peu dévotieux abbé qui, arrivé près d'elle et lui tenant compagnie, avant « la cloche », n'apprécie pas du tout cet échange.

— Écoute, petit, va jouer avec les autres ! lance-t-il sans aménité. Sais-tu que tu nous embêtes à la fin ?

Je réagis plutôt mal à ce camouflet à peine déguisé. Pour qui me prend-il, M. l'aumônier ? Pense-t-il qu'il va, sans dommage pour ses propres intérêts, m'éloigner de façon aussi cavalière de celle qui me tourneboule l'esprit à ce point que je ne suis plus en mesure de différencier un élégant homme de robe d'un vulgaire galopin. Dommage pour lui ! mais je crois qu'il a tort de dépasser avec moi les bornes d'une saine rivalité.

Souvent les amours les plus brûlantes n'en sont restées — et fort heureusement pour leur qualité — qu'au stade du désir. C'est apparemment dans l'attente dont il s'attise que se trouve l'élément fondamental du bonheur. Par contre, il faut noter qu'un amour sans espoir peut devenir dangereux et, pourquoi pas, pour commencer — c'est le cas du mien —, perfidement accusateur.

Évincé, jaloux, je métabolise l'opprobre levain de toute vengeance. Paraissant démuni, ne suis-je pas, paradoxalement, en position de force, puisque je dispose d'une arme idéalement meurtrière : ma propre langue ? Je me mets à inventer des faussetés, à répandre des ragots dans un petit monde ouvert au papotage. J'aurais vu l'aumônier et la directrice se tenant par la main, près de la grotte. Puis, une autre fois, je les aurais surpris se bécotant avec délices derrière les gradins... Ce que les « grands » de ma classe s'amusèrent ferme d'une aussi naïve idylle !

176

N'avais-je pas baratiné avec le plus mordant des sarcasmes ? Que ce mode de sape était donc dévastateur ! Bientôt toute la communauté s'était mise à vibrer au rythme de ma riposte.

De sorte que tous les éléments d'un esclandre se trouvèrent vite réunis, à partir desquels tout allait changer. Car on avait été rapidement en mesure de m'accorder la paternité de ces ineptes racontars. Ceux qui les avaient reçus en confidence — et que je croyais sottement de mon côté — avaient parlé, et voilà : j'étais fait comme un rat. Enfermé dans l'inéluctable, qu'allait-il m'arriver ? À coup sûr, je risquais le renvoi. Mais l'affaire prit une autre tournure, vraiment imprévisible, celle-là, et combien catastrophique pour mon amour et son double, mon amour-propre.

◦|◦ ◦|◦ ◦|◦

— Par la suite, il t'a fallu me demander pardon pour ces calomnies, remarqua l'évêque, après un long silence, comme si, à ce point de nos évocations, nos ressouvenances respectives venaient de se télescoper.

— Quelle honte ce fut pour moi, opinai-je, quand Mère Directrice, devant toute la classe...

Je n'oublierai jamais ce dur coup, un premier lundi du mois, jour redouté de la lecture des notes. Après la prière, la maîtresse range son matériel avant de commencer les explications. Soudain la porte s'ouvre. Entre alors en coup de vent, plus tôt que d'habitude, la directrice, visiblement en colère, son grand cahier sous le bras. Son regard jette du feu dans toutes les directions et moi, sidéré sur mon banc, je me sens glacé, comprenant qu'on vient m'exécuter. Sans préambule, elle expédie les notes, mais point commentées comme à l'accoutumée puis, se dressant derrière le pupitre surélevé, elle me cherche de l'œil et, m'ayant repéré plus moribond que vif, elle me pointe du doigt.

— Toi, viens ici, en avant.

Les jambes mi-mortes, je me lève, m'avance à pas hésitants pendant qu'autour de moi le tableau noir, les coiffes blanches, la classe, le monde, tout chavire. Au chignon me tance une main courroucée : « Tourne-toi vers la classe ! »

— Vous avez devant vous un fieffé menteur. Vous savez ce que c'est ? Les faussetés qu'il a colportées sur notre compte, à M. l'aumônier et à moi, sont très graves. Elles suffiraient à son renvoi. Mais je tiens compte de son état : il est sans famille.

Pendant qu'elle parle, mon sang dégèle, je sens la rougeur empourprer mon visage, ma vision s'embrouille. Dans un halo vague, comme s'ils étaient irréels, je vois mal tous ces torses raidis, ces bras croisés, ces figures de circonstance. Et cette voix de ma conscience que je n'ai jamais encore entendue, qui me dit : « Tu es un vilain, ce que tu as fait est malhonnête ! »

— Il devra cependant écrire à M. l'aumônier pour lui demander pardon, continue-t-elle. La calomnie est un grand péché.

Et me tendant une feuille blanche, dentelée et très coquette, elle fulmine encore ces mots, à la cantonade :

— Cette lettre devra contenir tous ses aveux. De plus, je lui ordonne de vous la lire tout haut, avant de la remettre à votre maîtresse. À cela d'autres punitions s'ajouteront dans son cas.

Et la voilà partie, comme elle est venue, d'un pas furibond, pendant que je reste là, la tête étourdie, l'air stupide, sous le regard ahuri de mes condisciples devant lesquels je viens de me dégonfler. L'humiliation, passe encore ! Mais, épouvantable ce que je souffre ! C'est au cœur que j'ai été frappé et à jamais mon rêve d'amour s'en est échappé.

Sur mon écran mental, l'Autorité a repris la place qu'avait envahie la Beauté.

**

— Sœur Ste-Élisabeth avait pris panique, de dire Monseigneur en commentant cette scène. Il fallait qu'elle nous blanchisse tous les deux, elle et moi, en t'imputant la faute. De là l'idée de la lettre.

— J'aurais mérité la férule, ne pensez-vous pas ?

— Tu n'étais pas coupable de calomnie, mais de médisance seulement. Il était vrai que nous nous étions aimés. Quant à tes insinuations... !

— J'avais forgé le reste. Vous ne pouvez pas savoir à quel point j'étais jaloux de vous.

— En voulant te venger, tu as fait tant et si bien que tout s'est trouvé remis en question ; on t'avait cru, du moins en partie.

— Il est faux, selon moi, de dire que la vérité sort de la bouche des enfants.

L'entretien dérivait sur les suites du mini-scandale.

Cet égarement passager, l'homme d'Église s'en était sorti par esprit de conformité à ses vœux et crainte de l'opinion. Comment les aurait-on jugés ? Il aurait pu

se défroquer, comme tant d'autres le firent après lui, mais, à cette époque d'héroïcité canonique, il ne pouvait en être question. D'ailleurs sa mère, si fière de son beau prêtre, ne l'aurait pas supporté. Raison suffisante en elle-même et reléguant les autres à l'état d'accessoires. La fidélité à ses engagements, dans la soumission aux sévérités morales du temps, avait eu raison de ses timides élans vers le bonheur. Mais, toute sa vie, pendant que, par sa conduite exemplaire et l'aspect brillant de sa personnalité, il montait dans la hiérarchie comme une valeur sûre — au point d'être nommé l'évêque de sa propre ville — cet amour n'avait pas cédé, et, quoique chaste et exempt de tout alliage, l'obsédait, hantait ses nuits. Tout en l'ayant en apparence vaincu, il en était resté secrètement prisonnier.

Que s'était-il passé durant et après les vacances de l'année 1920 ? Comme si mon interlocuteur avait deviné ma pensée, il enchaîna :

— Quoique peu connus hors de l'internat, ces incidents eurent leurs conséquences. Je fus envoyé aux études à Rome, mais un an plus tôt que prévu par l'Ordinaire et, crois-moi, pas fortuitement.

— Et Sœur Ste-Élisabeth, resta-t-elle à son poste ?

— Elle fut rappelée à la maison mère de sa communauté et affectée à une autre tâche.

— Dans les circonstances, ce dut être perçu par elle et vous comme une conspiration des autorités respectives pour éteindre un si beau feu.

Je venais de penser tout haut. Il eut ces paroles très dures.

— Avec toute sa rigueur et comptant sur notre lâcheté, l'Église nous avait à jamais séparés. Que me restait-il ?

— De l'être aimé, et même de sa privation, il émane un certain bonheur, ajoutais-je.

— Cette remarque se justifie. Mais ce bonheur auquel tu fais allusion a quelque chose de terrrible. Il finit par user l'âme et l'esprit... Jamais, par la suite, je ne me suis endormi sans penser à elle... Le souvenir de son visage riant n'a jamais quitté ma mémoire.

— Que serait-elle devenue ?

— Je perdis sa trace et ne tentai pas de la retrouver.

— Peut-être vit-elle toujours ?

— J'ai appris sa mort il y a quelques années... J'avais besoin de partager mon

tourment secret avec quelqu'un, avant de disparaître à mon tour. Toi seul pouvais recueillir cette ultime confidence.

— Vous êtes maintenant délivré, fis-je, bouleversé devant ce destin brisé.

Je vis que des larmes perlaient à ses yeux. De résignation, sûrement, car, à l'évidence, un suprême détachement s'opérait en ce moment dans toute la personne du saint évêque.

— Peut-être que le ciel sera pour vous...

— Le sacrifice que j'ai fait de ma vie à l'Église a eu raison de ma foi. L'immensité du bonheur auquel j'ai renoncé pour Elle a fini par éloigner de moi toute joie spirituelle, et la promesse de l'Ève future est sortie de mon espoir pour n'y plus revenir.

Le vénérable malade soufflait maintenant avec de plus en plus de difficulté, l'effet maximal de l'élixir broncho-dilatateur ayant commencé à fléchir. Peu profonde sous l'immense torse, la respiration devenait oppressée.

Nos réflexions s'étaient mêlées aujourd'hui tout comme nos destinées hier. À l'édification de ses vertus comme à la consommation de son sacrifice, garçonnet épris et cruel, j'avais donc pris part autrefois et j'avais même contribué inconsciemment à l'établissement de la sainteté sur les brisées des désirs abolis. Mais une constatation s'imposait à moi par-dessus tout : adultes et enfants vivent l'amour de la même façon pour l'essentiel, bien qu'en apparence ceux-là soient plus âpres dans leur quête d'absolu, alors que ceux-ci, avec une inconcevable légèreté, accaparent, de l'être aimé, une joie immédiate et sauvage qui, la plupart du temps sans lendemain, n'en déterminera pas moins toute une vie.

— Je tiens à te remettre ceci.

Et, ce disant, il avait pris deux enveloppes conservées sous clé dans le petit tiroir de la table de chevet. L'une était petite et béante, montrant ce qu'elle contenait.

— Une mèche de cheveux ! m'étais-je exclamé à la vue de cette chose troublante !

— C'est le seul souvenir charnel qui m'a relié, pendant tout ce temps, à ce qu'elle était comme femme, comme être sensitif et sentant. En caressant parfois cette relique, tu comprendras l'impérieuse nécessité, pour la nature, de mettre un amour actif dans chaque cœur qui bat.

— Elle était donc auburn, et point blonde ! m'écriais-je.

— N'était-elle pas une pure Anglaise malgré son français sans accent ?

L'autre enveloppe un peu jaunie mais non cachetée contenait ma lettre à l'aumônier.

— En me remettant ce document, elle avait cet air contrit que l'on prend après l'accomplissement d'une action peu louable.

— Ha ! cette grosse écriture de souffrance ! C'est bien la mienne. Vraiment horrible !

— Ta main ne venait-elle pas de signer l'arrêt de mort du premier amour ? N'est-ce pas, Robert ?

— Cher Monseigneur !

L'accord des esprits venait de se produire entre deux hommes séparés par l'âge, par les professions, les carrières mais unis sur le tard autour d'un amour dans une instante fraternisation. L'essentiel venait de se passer.

Je me penchai vers l'auguste périclitant, l'étreignis aux épaules tout en collant ma joue contre la sienne. Et regardant une dernière fois cet être pathétique que je ne reverrais plus vivant, je quittai la grande chambre redevenue silencieuse pour m'engager à pas méditatifs dans le long corridor sombre décoré de portraits d'évêques anciens, aux visages impersonnels et fermés de gardiens de la foi, de cette foi inhibitrice et inhumaine qui avait moralement désintégré l'un des leurs...

***

Pendant que la lumière de l'intense juillet poudroie sur la ville épiscopale, le cortège processionnel, derrière les clercs et le porteur de croix, s'avance sous les voûtes du merveilleux temple gothique.

L'orgue vient de préluder dans le mi-jour mystérieux que laissent filtrer sur le catafalque les immenses verrières d'un maître italien dont l'art irréprochable emprisonna par le feu, dans la vitre, les couleurs et le plomb, mieux que l'exégète dans les mots, ces symboles d'une Foi qui sert soit au rachat, soit à la perdition.

LE SERGENT KATE

par Jacques Poulin

Jacques Poulin tout absorbé dans l'écriture de son prochain roman, ne peut écrire l'histoire de son premier amour mais il vous offre la dernière page qu'il a écrite ce jour-là... C'est l'histoire d'un amour d'enfant.

Elle était sergent dans l'armée américaine. Elle s'appelait Kate. Je l'ai connue en Allemagne, près de Heidelberg où se trouvait une base militaire des États-Unis. C'était une femme de 30 ans, solidement bâtie, vigoureuse, avec un visage très doux et des yeux cernés. Ses yeux témoignaient des ennuis qu'elle avait connus.

Elle venait de la Louisiane et avait été élevée par une grand-mère cajun. Son père l'avait violée quand elle était petite. Elle se réfugiait souvent dans une cabane en bois rond perdue au fond des bayous. Elle s'était mariée à 18 ans pour découvrir ensuite que son mari était alcoolique. Elle avait eu deux enfants et elle les élevait toute seule. Et elle élevait aussi d'autres enfants que l'une ou l'autre de ses belles-sœurs lui confiaient en disant qu'elles partaient en voyage et allaient revenir dans deux semaines... mais elles ne revenaient jamais.

Pour subvenir aux besoins de sa famille, elle s'était enrôlée dans l'armée et avait appris la mécanique automobile. En Allemagne, où je l'ai connue par des amis communs, elle avait le grade de sergent et dirigeait un atelier de travaux mécaniques au sein duquel vingt et un hommes étaient à ses ordres. Et le soir, lorsqu'elle rentrait du travail avec son battledress et ses grosses bottes de cuir, et que, brisée de fatigue, elle s'asseyait au milieu de ses enfants pour parler des événements de la journée, il fallait voir avec quelle patience infinie elle les écoutait, les conseillait ou les consolait. Je croyais que j'étais moi-même quelqu'un de doux et patient, mais j'ai perdu cette illusion en regardant le sergent Kate. C'est un vieux cliché, mais il faut que je le dise : les trésors d'affection, de patience et de douceur que recèle le cœur d'une femme ne cesseront jamais de m'étonner et de m'émouvoir comme si j'étais personnellement concerné. J'ai encore devant les yeux cette image : la soirée touche à sa fin, le petit garçon s'est endormi sur la moquette en regardant la télé, un bras replié sous la tête, et sa mère, assise à ses côtés, lui caresse les cheveux ; et je sens très bien, au plus profond de mon cœur, qu'il y a une partie essentielle de moi-même dans ce garçon endormi.

JOUONS À L'AMOUR

par Ringuet

Lever de rideau en un acte en vers

Personnages : ANDRÉ, 36 ans, beau garçon
                         un peu fatigué
                         DENISE, sa fiancée
                         JEANNE, cousine d'André ;
                         32 ans. Ne les paraît pas.

Décor : Un boudoir très éclairé au début.
                Porte au fond, fermée par une
                tenture.
                Au premier plan, divan moderne,
                confortable.

JEANNE
(railleuse)

Cousin, mais, tu me fais la cour. Tout de
                           même,
Cela m'arriverait comme viande en carême.
Je suis fiancée.

ANDRÉ

Oh ! moi aussi. Mais, au fait,
Je t'avouais tantôt qu'à toutes j'avais fait la
cour.
Or il en reste une.

JEANNE
(même jeu)

Qui ?

ANDRÉ
(saluant)

Toi, cousine.

JEANNE
(simplement)

Non ! tu veux me jouer ton air de
                              mandoline !
Mon Dieu, que tu es bête. Et voilà du
                              nouveau.
Le mariage, André, t'a troublé le cerveau.
Jouer l'amoureux, toi, que j'ai vu en culotte !
Avec moi, qui enfant te donnais des calottes.
C'est moi qui te battais. Sauf certain jour ;
                              allons,
Souviens-toi. Tu portais enfin le pantalon.
Tu t'avançais vers moi, pompeux comme un
roi mage ;

(L'André d'alors avait des boutons au visage).

J'osai te comparer — ah ! comme nous
                              changeons —
À un pommier sans feuille orné de ses
                              bourgeons.

(Montrant son front)

J'en porte encor la marque. Non, André, c'est
tout comme
Si pour moi tu étais un frère, pas un homme.

ANDRÉ

C'est vrai. Je ne sais pas si tu m'as jamais
plu ;
L'on se voit si souvent que l'on ne se voit
plus.

JEANNE
(très gaie)

C'est même peu flatteur.

(Silence. Puis André la regarde d'un air amusé.)

ANDRÉ

Te souviens-tu, Jeannette,
Quand nous jouions « au boutiquier »,
« à la dînette »,
Et combien d'autres jeux que nous quittions
bientôt
Pour s'en aller courir à des plaisirs nouveaux.
Or c'est une autre vie avant peu qui
commence.
Pour la dernière fois, aux jeux de notre
enfance
Jouons.

JEANNE
(amusée)

À quel jeu ? À la marelle !

(Elle saute à cloche-pied.)

ANDRÉ

Si tu veux
Pendant quelques instants jouons... aux
amoureux.

JEANNE
(soupçonneuse)

Encore !

ANDRÉ
(suppliant)

Ça m'amuse !

JEANNE
(rassurée)

Au fond, c'est amusant.
Je serai ton dernier béguin, pour un instant.
Mon rôle sera donc d'écouter sans sourire.

ANDRÉ

Oui, tu laisseras faire.

JEANNE
(scandalisée)

Oh !

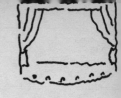

ANDRÉ
(corrigeant)

Tu laisseras dire

JEANNE

Mais je dois t'avertir, pas trop de
compliments.
Je n'aime pas. Un peu ; pas trop.

ANDRÉ

Pas un !

JEANNE

Tu mens.
Sans faire un compliment se peut-il qu'on
séduise.

ANDRÉ

Peut-être bien.

JEANNE
(étonnée)

Pas même : Vous êtes exquise !
Ah ! comme c'est étrange, on me l'a toujours
dit.

ANDRÉ
(riant)

Alors tu connaîtras vraiment de l'inédit.

JEANNE

J'ai bien hâte de voir, moi qui suis
curieuse.

195

ANDRÉ

Tu es prête ? Très bien. Allons.

(*Jeanne rit.*)

                              Sois sérieuse.
Nous partirons, lorsque tu en auras assez
Moi, retrouver Denise, et toi, ton fiancé.
En scène pour le un. Les trois coups. Je
                              commence.

(*Il se retire vers le fond et revient comme s'il entrait et cherchait à reconnaître qui est là.*)

Comment ! Jeanne ! Est-ce ainsi que l'on
                              quitte la danse.
C'est donc vous que je regardais depuis
                              tantôt.
Je voyais une nuque sombre, un peu de dos
Frôlé par la lumière heureuse et caressante,
Un feu de cigarette, une attitude... absente,

(*Il s'assied près d'elle.*)

Et parfois, une main troublante de
                              fraîcheur,
Mais je ne pensais pas que ce fut vous.

JEANNE
(*à mi-voix*)

                              Gaffeur.

ANDRÉ

Non, je ne vous connaissais pas cette attitude
Très douce, presque tendre aussi. La
solitude
Vous... habille autrement ; et de vous voir
ainsi,
Il me semble..., on dirait... oui, une autre...

JEANNE
(même jeu)

Merci.

ANDRÉ

...Qui serait encore vous, Jeannette, en plus
intime :
La Jeanne d'autrefois, que le présent
ranime ;
La petite fille au sourire vif et doux
Qui s'endormit un soir dans mes bras.

JEANNE
(simulant la crainte qu'on entende)

Taisez-vous !

ANDRÉ

Il faut parler tout bas de peur qu'elle s'éveille.
Tout comme alors je vais vous parler à
l'oreille.
Ce soir-là, vous dormiez ; fermez encor les
yeux.

C'est quand on ne voit pas que l'on entend
                                    le mieux.
Oui ! ne dirait-on pas que c'est encor la
                                    même.
Je peux la regarder longtemps — délice
                                    extrême —
Avec les mêmes yeux tendres qu'alors.

JEANNE

                        Menteur.

*(André a commencé sur un ton de plaisanterie
douce, mais sa voix se fait tendre peu à peu. Les
réponses de Jeanne, railleuses au début, devien-
nent de plus en plus sérieuses.)*

ANDRÉ

Menteur, Jeannot ? non, non, je ne suis pas
                                    menteur.
Je n'ai qu'à regarder dormir votre visage
Qui n'a pas changé, pour oublier mon âge
Pour retrouver le temps où, parmi les lilas
En fleurs, nous nous aimions.

JEANNE
(ouvrant des yeux étonnés)

                Mais je ne t'aimais pas.

ANDRÉ
(tout près)

En sommes-nous certains. Oui, notre
                        enfance, Jeanne,

198

Est un papier tout blanc ; mais, dans le
　　　　　　　　　　filigrane,
Invisible pour ceux qui gardent les yeux clos,
Est-on bien sûr qu'il n'y a pas : André,
　　　　　　　　　　Jeannot.
En moi-même parmi tant et tant
　　　　　　　　　　d'amourettes,
Il existait peut-être, au fond, l'amour,
　　　　　　　　　　Jeannette ;
Oh ! pas encor en fleur, mais, peut-être, en
　　　　　　　　　　bouton
Discret,

(avec une tendresse croissante)

Jeanne, Jeannot, Jeannette, Jeanneton.

JEANNE
(essayant de plaisanter, mais émue)
Mon bel André, vraiment, vous jouez comme
　　　　　　　　　　un ange.

ANDRÉ
(grave)
Jeanne, si vous saviez comme cela me change
De jouer... à jouer le rôle d'amoureux.
C'est la dernière fois. Je joue, et de mon
　　　　　　　　　　mieux.
À qui je fais la cour, vous êtes la dernière ;
Or j'ai l'impression que vous êtes la première.
Et cela m'est si doux, et je l'ai tant voulu,

(très grave)

Qu'il me semble ce soir, vraiment... ne jouer
plus.
Parce qu'en moi, troublants, les souvenirs
émergent,
Je cherche des mots neufs, je voudrais des
mots vierges
...Si tu savais, Jeannot.

JEANNE
(émue)

André.

ANDRÉ

Ne parle pas.
Je regarde en mon cœur la trace de tes pas.
Cachés sous les débris de tant d'amours
éteintes,
Comment aurais-je pu deviner leurs
empreintes.
Il ne fallait qu'un souffle, il suffit d'un
moment
Pour voir mon cœur marqué pour toi,
profondément (...)
Je ne te trouve pas, non, nous nous retrou-
vons.
Écoute le passé, écoute ; il nous reproche
Que nos bouches soient loin quand nos
cœurs sont si proches
C'est lui, c'est le passé, ce n'est pas le hasard
Qui nous a réunis avant qu'il soit trop tard.

JEANNE
(bouleversée)

André.

(Pendant ce qui précède, Denise s'est montrée à la porte du fond, a regardé un instant puis est repartie.
En disant André, Jeanne laisse tomber sa tête sur l'épaule d'André, comme pour lui offrir sa bouche. André la regarde soudain, sourit d'air amusé, et se lève brusquement.)

ANDRÉ

Ai-je assez bien, dis-moi, joué mon rôle ! Tu t'es bien amusée ?

JEANNE
(s'éveillant de son rêve, avec effort)

Oh ! oui, c'est assez drôle.

(à part)

J'avais presque oublié que ça n'était qu'un
jeu.

ANDRÉ

J'étais si bien lancé, que vraiment, pour un
peu,
Je me persuadais que j'étais bien sincère.

JEANNE
(à part)

Et moi donc.

(à André, railleuse)

      Oh ! pas moi. Cousin, tu exagères.
Il te manquait l'*accent* de la sincérité.
Pour en parler avec un ton de vérité
Ce sentiment, l'amour, il faut qu'il soit le
                     nôtre.

ANDRÉ
(surpris)

Mais je connais l'amour !

JEANNE
      Oui, mais celui des autres.

(pitoyable)

Tu n'as jamais aimé.

ANDRÉ
(inquiet)

      Non, sans blague ? Tu crois ?
J'aurais pourtant juré...

JEANNE
(impitoyable)

      Mais mon cher, ça se voit.
Pour nous parler d'amour il te faut les
                     ténèbres.

C'est un enterrement.

(l'imitant)

Tu prends un ton funèbre.
C'est n'aimer pas que les aimer toutes. Au
fond,
Tes paroles d'amour ? des bulles de savon ;
C'est joli, c'est charmant, ça brille, ça s'irise,
On s'y plaît un peu... pfft, ça se volatilise ;
Il n'en reste plus rien.

ANDRÉ
(piqué)

Ah ! non, c'est inoui.
Dans tes yeux j'ai bien vu, tantôt...

JEANNE
(simplement)

Et après. Oui.
Pour un instant mes yeux ont bien pu te
sourire.
Mais j'ai dû les fermer... je me mourais de
rire.
J'ai joué mon rôle.

ANDRÉ
(furieux)

Oh ! mais alors, cet émoi...

JEANNE

Que tu manques de flair !

ANDRÉ

Tu t'es moqué de moi ?

JEANNE
(souriante et venimeuse)

Suis-je donc la première ?

ANDRÉ
(hors de lui)

Assez, car tu me blesses.

JEANNE
(à part)

Cousin, tu me paieras mon instant de
faiblesse.

(à André)

Le menu fretin peut mordre à ton hameçon.
Mais à mon âge...

(indulgente)

André, va prendre des leçons !

ANDRÉ
(railleur)

Voudrais-tu m'en donner ?

204

JEANNE
Je le pourrais, peut-être.

Extrait de *Je t'aime... je ne t'aime pas,* joué au
Monument national de Montréal, le 28 avril 1927.
L'auteur y tenait lui-même le rôle d'André. La
critique évoquait les noms de Rostand, Géraldy,
Guitry. Ce fut la seule aventure théâtrale de
Ringuet.

GUITARINE

par Normand Rousseau

Normand Rousseau avait eu avant nous cette bonne idée de révéler son Premier amour *dans* À l'ombre des tableaux noirs *(Éditions Pierre Tisseyre, Montréal 1977). Cette nouvelle en est un extrait modifié et condensé.*

Vers l'âge de sept ans, je tombai follement amoureux d'une guitare qui offrait ses charmes à tous les passants de la rue commerciale dans la vitrine du magasin de musique. Je voulais l'acheter à n'importe quel prix. Je jurai de la posséder un jour, de la tenir dans mes bras et de l'aimer toute ma vie.

Du jour au lendemain, je devins économe, serviable moyennant bien sûr quelques compensations monétaires, et ma tirelire se transforma en une bouée de sauvetage qui en peu de temps commença à se gonfler d'importance.

Tous les jours, je passais devant le magasin pour la voir, la contempler, lui parler un peu et lui faire des promesses de bonheur sans fin. Des promesses d'achat et de caresses. Elle brillait dans la vitrine comme un gros cœur d'or. Elle avait des hanches de femme et un long cou gracile de jeune adolescente.

Parfois, j'entrais voir le vendeur pour lui demander et redemander le prix. Je constatais pour la millième fois que je n'avais pas assez d'argent. Je marchandais, j'imaginais toute une gamme de financements fantaisistes, mais le vendeur moustachu était inébranlable : il fallait payer comptant. Excédé par mes visites et mes supplications, un jour, il me saisit par une aile et me jeta dehors.

J'étais certain de parvenir à ramasser un jour la somme exigée, mais la hantise qu'un autre l'achète avant moi me rongeait jour et nuit. J'imaginais le grand trou qu'elle ferait alors dans la vitrine. Un grand trou qu'on ne pourrait jamais combler avec une autre guitare, même plus grosse, ni avec un quelconque instrument venteux ni même avec un piano à queue ou avec un orgue, ce bouquet de tuyaux qui faisait trembler l'église le dimanche à la grand-messe.

Je lui avais donné un nom : Guitarine comme dans mandoline ou Christine ou Maryline. Le nez collé à la vitrine, je lui parlais comme un Roméo à sa Juliette, en répétant inlassablement son nom. Un

passant parfois s'arrêtait pour la contempler à son tour. Je lui jetais un tel regard de haine et de jalousie qu'il filait son chemin, le scélérat !

Le vendeur finissait toujours par s'amener dans la vitrine pour y faire danser sa moustache. À son tour, il me jetait un regard féroce comme s'il avait eu peur que je lui subtilise sa guitare par un tour de passe-vitrine. Je le soupçonnais d'être un peu amoureux de Guitarine et ça me faisait tout mal en dedans.

Un soir, ma tirelire rendit l'âme. Un grand coup de marteau et la monnaie se répandit sur le plancher de ma chambre comme un frais ruisseau d'eau vive. Le lendemain, Guitarine serait à moi, je la tiendrais très fort dans mes bras. Je ne dormis pas de la nuit attendant, les yeux ouverts sur le noir, l'aube du grand jour.

Une heure avant l'ouverture, je me précipitai vers le magasin sans dire bonjour à ma mère. En contournant le coin de la rue, je butai violemment sur la vitrine. Je sentis la terre se dérober sous mes pieds. Autour de moi, tout chavira dans un grand vertige de couleurs, un grand délire de lignes fuyantes : Guitarine n'était pas au rendez-vous. À la place, il y avait un grand vide et dans ce grand vide, j'aperçus, reflété par la vitrine, mon visage défiguré par la consternation et l'incrédulité.

Je dus rester ainsi pendant de longues secondes, pétrifié dans ma stupéfaction. Puis j'aperçus le marchand qui entrait. Il s'arrêta et me servit un léger rictus accroché aux coins des lèvres en disant. « Pas de chance, mon petit bonhomme. Mais j'en ai une autre, encore plus belle. Entre. »

Je fis signe que non en le fusillant des yeux. Il n'était pas question de la tromper avec une autre. Elle reposait en ce moment dans les bras d'un usurpateur, mais elle me gardait sa fidélité. C'était un rapt, un enlèvement, un viol, mais surtout pas une histoire d'amour. Il fallait retrouver Guitarine coûte que coûte et l'arracher à son ravisseur.

Il n'y avait qu'un riche pour se payer une telle guitare et dans le quartier, il n'y avait qu'une seule rue de bourgeois.

Toute la journée, j'arpentai cette rue de long en large. Je tendais l'oreille et l'œil à tout ce qui bougeait dans les palais dorés. J'auscultais le cœur de chaque foyer. Des visages aux fenêtres me reluquaient comme si j'étais un chien perdu, sale et galeux. Où pouvait bien se terrer la mauvaise conscience de mon rival ?

Il commençait à faire sombre. J'allais

quitter la rue des bourgeois pour rentrer chez moi l'âme pendante de tristesse lorsque... j'entendis des pincements de cordes très maladroits et discordants. Au travers de cette cacophonie, je reconnus la voix de Guitarine, sa voix unique que je n'avais entendue que du fond du cœur. Elle m'appelait de sa voix déchirante.

Les sons venaient de la plus grosse et de la plus belle maison de la rue. Je me précipitai à la première fenêtre. Un jeune garçon de mon âge (que je n'avais jamais vu à l'école), tout blond, très beau, un peu pâle, bien habillé, grattait férocement Guitarine pour lui arracher quelques notes douloureuses. Soudain, il la jeta à terre et la piétina sauvagement. Je faillis passer par la fenêtre, propulsé par la colère et l'indignation.

En se brisant, elle exhala une musique étrange qui me bouleversa. C'était comme une plainte, un appel, une douleur et qui sait ? un reproche peut-être.

Ma colère fit bientôt place à une immense tristesse, un accablement sans nom, un désespoir cuisant qui furent suivis d'une rage folle.

Je revins à la maison. Ma mère me demanda ce que j'avais fait toute la journée. Je ne répondis pas. Je me dirigeai vers ma chambre pour me jeter sur mon lit en pleurant comme... une guitare blessée.

Les jours qui suivirent, je hantai le quartier des bourgeois dans l'espoir de retrouver Guitarine d'une façon ou d'une autre. Je l'aperçus enfin dans une poubelle. Je la reconnus à son long cou d'adolescente... cassé. Je la serrai dans mes bras avec des larmes plein la gorge. Je la portai chez le vendeur pour qu'il la répare. En la voyant, le rictus à moustache s'envola. Il l'examina longuement puis ses épaules s'affaissèrent accompagnées d'un interminable soupir : rien à faire, les blessures étaient mortelles.

J'appris ce jour-là que même l'amour ne peut ressusciter les guitares. Je repris Guitarine et j'allai l'enterrer dans un cimetière sans nom. C'est là qu'elle repose depuis toujours et c'est ainsi que je ne suis jamais devenu guitariste.

WILHELM

par Gabrielle Roy

Mon premier cavalier venait de
Hollande, il s'appelait Wilhelm, il avait les
dents trop régulières ; il était beaucoup plus
âgé que moi ; il avait un long visage triste...
Du moins est-ce ainsi que me le firent voir
les autres quand ils m'apprirent à regarder
ses défauts. Moi, au début, je trouvais son
visage pensif plutôt que long et trop mince.
Je ne savais pas encore que ses dents si droites
et régulières étaient fausses. Je croyais aimer
Wilhelm. C'était le premier homme qui par
moi pouvait être heureux ou malheureux ;
ce fut une bien grave aventure.

Je l'avais rencontré chez nos amis O'Neill
qui habitaient toujours, non loin de chez
nous, leur grande maison à gâble de la rue
Desmeurons. Wilhelm était leur pension-
naire, car il y a bien du curieux dans la vie :
ainsi ce grand garçon triste était chimiste au
service d'une petite manufacture de peinture qu'il y avait alors dans notre ville et,
comme je l'ai dit, il logeait chez des gens
également déracinés, les O'Neill autrefois du
pays de Cork, en Irlande. C'était venir de

213

loin pour faire comme tout le monde en somme : gagner sa vie, tâcher de se faire des amis, apprendre notre langue, et puis, dans le cas de Wilhelm, aimer quelqu'un qui n'était pas pour lui. Est-ce que l'aventure tourne si souvent au banal ? Mais évidemment, dans ce temps-là, je ne le pensais pas.

Le soir, chez les O'Neill, nous faisions de la musique. Kathleen jouait *Mother Machree* tandis que sa mère, assise sur un canapé, s'essuyait les yeux, tâchait aussi d'éviter notre attention, de la détourner d'elle-même, car elle n'aimait pas qu'on la crût à ce point remuée par les chants irlandais. Élizabeth, malgré la musique, n'en piochait pas moins tout le temps ses problèmes d'arithmétique ; elle se fichait encore des hommes. Mais Kathleen et moi nous nous en souciions. Nous avions grand peur de rester pour compte, peur de ne pas être aimées et de ne pas aimer d'un grand amour absolument unique.

Quand Mrs. O'Neill me le demandait, « *to relieve the atmosphere* » comme elle disait, je jouais le *Menuet* de Paderewski ; ensuite Wilhelm nous faisait entendre du Massenet sur un violon qui était de prix. Après, il me montrait dans un album des vues de son pays ; aussi la maison de son père et celle de son oncle, associé de son père. Je pense qu'il

214

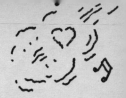

tenait à me faire savoir que sa famille était plus fortunée qu'on n'aurait pu le croire en la jugeant d'après lui-même, je veux dire sur ce qu'il avait dû s'expatrier et venir habiter notre petite ville. Mais il n'avait pas à craindre que je me forme une opinion d'après de sottes apparences sociales : je voulais ne juger les gens que selon leurs braves qualités personnelles. Wilhelm m'expliquait comment Ruysdael avait vraiment très bien rendu le plein ciel triste des Pays-Bas ; et il me demandait si je pensais que j'aimerais la Hollande, assez pour vouloir un jour la visiter. Et je disais que oui, que j'aimerais bien voir les canaux et les champs de tulipes.

Alors il fit venir pour moi de la Hollande une boîte de chocolats dont chacun était une petite fiole qui renfermait une liqueur.

Mais un soir il eut la malencontreuse idée de me reconduire jusque devant notre maison, bien que ce fût à deux pas et qu'il ne fît pas encore tout à fait noir. Il était chevaleresque : il prétendait qu'un homme ne doit pas laisser une femme rentrer toute seule chez ses parents, même si cette femme hier encore jouait au cerceau ou à marcher sur des échasses.

Hélas ! dès qu'il eut tourné le dos, maman me dit de mon cavalier :

— Qui est ce grand escogriffe ?

Je lui dis que c'était Wilhelm de Hollande, et tout ce qui en était : la boîte de chocolats, les champs de tulipes, le ciel émouvant du pays de Wilhelm, les moulins à vent... Or, tout cela était bien, honorable !... Mais pourquoi, malgré ce que je pensais des apparences, me suis-je cru obligée de parler aussi de l'oncle et du père associés dans une petite entreprise qui... qui... rapportait beaucoup d'argent ?...

Alors ma mère me défendit d'aller chez les O'Neill tant, fit-elle, que l'idée de Wilhelm ne m'aurait pas passé.

Mais Wilhelm était fin. Un ou deux jours par semaine, il finissait tôt son travail ; ces jours-là, il venait m'attendre à la sortie du couvent. Il prenait mon gros paquet de livres — Dieu que les Sœurs en ce temps-là nous donnaient de devoirs ! — mes cahiers de musique, mon métronome, et il me portait toutes ces affaires jusqu'au coin de notre rue. Là il abaissait vers moi ses grands yeux bleus et tristes et il me disait :

— Quand tu seras plus grande, je t'emmènerai à l'opéra, au théâtre.

J'avais encore deux années de couvent devant moi ; je trouvais désespérément lointains l'opéra, le théâtre. Wilhelm me disait qu'il avait hâte de me voir en robe longue,

216

qu'alors il sortirait enfin de son enveloppe contre les mites son habit du soir et que nous irions en cérémonie entendre de la musique symphonique.

Ma mère finit par apprendre que Wilhelm avait l'audace de porter mes livres, et elle fut très fâchée de cela. Elle me défendit de le voir.

— Mais, ai-je dit à maman, je ne peux tout de même pas l'empêcher de marcher sur le trottoir à côté de moi. N'importe qui a le droit de marcher sur le trottoir.

Ma mère trancha la difficulté :

— S'il prend le même trottoir que toi, tu entends, change aussitôt de trottoir.

Mais elle avait dû envoyer un mot de réprimande à Wilhelm et lui préciser comme à moi quel trottoir prendre, car je ne le vis plus que de l'autre côté de la rue, qui restait campé longtemps pour me voir passer. Il gardait son chapeau à la main pendant que je passais. Les autres petites filles devaient être horriblement envieuses de moi : elles riaient de voir Wilhelm se découvrir sur mon passage. J'avais quand même la mort dans l'âme de voir Wilhelm si seul et exposé aux railleries. C'était un immigrant, et papa m'avait dit cent fois qu'on ne saurait avoir trop de sympathie, trop d'égards envers les déracinés qui ont bien assez à souffrir de leur dépaysement sans qu'on y ajoute par le mépris ou le dédain. Pourquoi donc papa avait-il si complètement changé de vue et en voulait-il plus encore que maman à Wilhelm de Hollande ? Personne chez nous, il est vrai, depuis le mariage de Georgianna, ne regardait l'amour d'un bon œil. Peut-être que tous ensemble nous avions déjà eu trop à en souffrir. Mais moi, je n'en avais pas encore assez souffert, il faut croire...

Et puis, comme je l'ai dit : Wilhelm était fin. Maman lui avait défendu de me parler dans la rue, mais elle avait oublié les lettres. Wilhelm avait fait de grands progrès en anglais. Il m'envoya de très belles lettres qui commençaient par : « *My own beloved child...* » Ou bien : « *Sweet little maid...* » Pour ne pas être dépassée, je répondais : « *My own dearest heart...* » Ma mère trouva un jour dans ma chambre un brouillon où j'exerçais ma calligraphie et dans lequel j'exprimais à Wilhelm une passion que ni le temps ni les cruels obstacles ne fléchiraient... Si ma mère avait regardé dans le livre de Tennyson, ouvert sur ma table, elle aurait reconnu tout le passage en question, mais elle était bien trop en colère pour entendre raison. Défense me fut faite d'écrire à Wilhelm, de lire ses lettres si par miracle l'une d'elles parvenait à franchir le barrage que maman érigeait, défense même de penser à lui. Il me fut seulement permis de prier pour lui, si j'y tenais.

Jusque-là j'avais pensé que l'amour devait être franc et limpide, chéri de tous et faisant la paix entre les êtres. Or, que se passait-il ? Maman devenait comme une espionne, occupée à fouiller ma corbeille à papier ; et moi, parfois, je pensais d'elle qu'elle était bien la dernière personne au monde à me comprendre ! Était-ce donc là ce qu'accomplissait l'amour ! Et où étaient nos belles relations franches, entre maman et moi ! Vient-il toujours une mauvaise époque entre une mère et sa fille ? Est-ce l'amour qui l'amène ?... Et qu'est-ce, qu'est-ce que l'amour ?... Est-ce son prochain ? Ou quelqu'un de riche, de séduisant ?

En ce temps-là, Wilhelm, ne pouvant faire autre chose pour moi, m'envoya beaucoup de cadeaux, et je n'en ai rien su alors, car aussitôt qu'ils arrivaient, maman les lui retournait : des partitions de musique, des bulbes de tulipes venus d'Amsterdam, un petit col de dentelle de Bruges, d'autres chocolats parfumés.

Il ne nous resta plus pour communiquer l'un avec l'autre que le téléphone. Maman n'y avait pas pensé. Évidemment, elle ne pouvait penser à tout : l'amour est si fin ! Du reste, dans son temps d'amour, le téléphone n'existait pas, et c'est ainsi, j'imagine, que maman oublia de me l'interdire. Wilhelm appelait souvent notre numéro. Si ce n'était pas moi qui répondais, il raccrochait doucement. Et bien des fois alors maman se plaignit : « Qu'est-ce qui se passe ?... Je vais adresser une lettre à la compagnie ; à tout bout de champ, je suis dérangée pour rien ; au bout de la ligne, c'est tout juste si j'entends un soupir. » Elle ne pouvait pas prévoir, bien sûr, jusqu'où atteignait la ténacité d'un Wilhelm.

Mais si c'était moi qui répondais, Wilhelm n'en était guère plus avancé. Il ne pouvait y avoir entre nous de véritable conversation sans nous exposer à trahir notre secret et à être privés ainsi du téléphone. Par ailleurs, nous n'avions de goût ni l'un ni l'autre pour des feintes ; Gervais en usait quand il avait au bout du fil sa petite amie de cœur, à qui il s'adressait comme si elle eût été un garçon du collège. Mais Wilhelm et moi, sans condamner Gervais — car l'amour est l'amour, et, contrarié, il est encore plus digne ! — nous nous appliquions à être nobles en toutes choses. Aussi Wilhelm me murmurait-il seulement, de très loin : « *Dear heart !...* » Après quoi, il restait silencieux. Et j'écoutais son silence une minute ou deux en rougissant jusqu'au front.

Un jour, pourtant, il découvrit un admirable moyen pour me faire entendre son cœur. Comme je disais : Allô, sa voix me pria de rester à l'écoute ; puis je distinguai comme un bruit de violon qu'on accorde, ensuite les premières mesures de *Thaïs*... Wilhelm me joua tout le morceau au téléphone. Kathleen devait l'accompagner. J'entendais des accords de piano, assez éloignés, et je ne sais pourquoi, cela m'agaça un peu, peut-être de penser que Kathleen était dans un si beau secret. Mais c'était la première fois que Wilhelm m'agaçait un peu.

Notre téléphone était fixé au mur, au bout d'un petit couloir sombre ; au début, personne ne s'étonna de me voir passer là des heures, immobile et dans le plus complet silence. On ne s'aperçut que petit à petit, chez nous, qu'au téléphone je gardais le silence. Et dès lors, quand j'allais écouter *Thaïs*, la porte du couloir s'entrouvrait légèrement ; quelqu'un s'y cachait pour m'épier, faire signe aux autres de venir un par un me voir. Gervais fut le pire, et c'était bien méchant de sa part, puisque j'avais respecté son secret. Il se donna des prétextes pour emprunter le couloir ; en passant, il cherchait à écouter ce que je pouvais entendre. Mais d'abord, je tins l'écouteur fermement

221

pressé à mon oreille. Puis je dus commencer déjà de trouver *Thaïs* bien long à entendre. Un soir, je permis à Gervais d'écouter un moment la musique de Wilhelm ; j'espérais peut-être qu'il aurait assez d'enthousiasme pour me faire à moi-même admirer le morceau. Mais Gervais pouffa de rire ; je le vis ensuite faire le fou devant les autres, au fond de la salle, jouer d'un violon imaginaire. Même maman rit un peu, quoique voulant rester fâchée. Avec un long visage triste qu'il mit sur ses propres traits, je ne sais comment, Gervais imitait assez bien Wilhelm en le déformant. J'eus un peu l'envie de rire. Car c'est un fait qu'il est assez comique de voir quelqu'un de triste jouer du violon...

Au fond, il est étonnant que tous ensemble ils n'aient pas songé plus tôt à me détourner de Wilhelm par la manière qu'ils employèrent avec tant de succès, à partir de ce soir-là.

Toute la journée, sur mon passage, quelqu'un sifflait l'air de *Thaïs*.

Mon frère exagérait grossièrement la démarche un peu solennelle du Hollandais, son regard qui se portait haut. Ils lui trouvèrent un air de pasteur protestant, tout sec, disaient-ils, et en train de préparer un sermon. Maman ajouta que le « Néerlandais » avait le visage aussi mince qu'une lame de couteau. C'est ainsi qu'ils le désignaient maintenant : le Néerlandais ou le Hollandais. Ma sœur Odette, je veux dire Sœur Édouard, qui avait été mise au courant et qui se mêlait de l'affaire, quoiqu'elle eût renoncé au monde, ma pieuse Odette elle-même me disait d'oublier l'Étranger... qu'un étranger est un étranger...

Un soir, en écoutant *Thaïs,* je pensai que j'avais l'air sotte ainsi plantée, l'écouteur à la main. Je raccrochai avant la fin du morceau.

Après, Wilhelm ne se montra plus guère sur mon chemin.

Un an plus tard peut-être, nous apprîmes qu'il rentrait en Hollande.

Ma mère redevint la personne juste et charitable d'avant Wilhelm, que j'avais tant aimée. Mon père n'eut plus rien contre la Hollande. Maman avoua que Mrs. O'Neill lui avait dit de Wilhelm qu'il était le meilleur garçon du monde, sérieux, travailleur, très doux... Et maman espérait que Wilhelm, dans son propre pays, parmi les siens, serait aimé... comme, disait-elle, il le méritait...

Extrait de *Rue Deschambault*, Éditions internationales Alain Stanké, collection *Québec 10/10*, p. 225 à 252.

PREMIER AMOUR

par Jean Simard

> *La plus noble conquête que l'homme*
> *ait jamais faite est celle de ce fier et*
> *fougueux animal..., etc.*
>
> **Buffon**

Je constate que les gamins d'aujourd'hui éprouvent des sentiments tendres pour divers jouets miniaturisés : camions, motos, tracteurs, machines de guerre. Voire de petites automobiles articulées, qui se transforment en monstres...

Moi, à cet âge, ce fut le Cheval !

Pour commencer, la race chevaline tout entière ; plus tard, l'une de ces bêtes en particulier, objet de cette « cristallisation » dont a parlé Stendhal, et qui vous fait découvrir, chez l'être aimé, d'incessantes perfections. Ma mémoire — défaillante à bien des égards — a pourtant conservé le souvenir très net de mes jouets favoris, au temps dont je parle : plus que le train à modèle réduit, les soldats de plomb ou le mécano, je me rappelle tout particulièrement un attelage à deux chevaux tirant un fardier rouge vif où

225

s'empilait un assortiment de boîtes, de caisses et de sacs, maintenus en place par une chaînette. J'attelais et dételais les bêtes, chargeais et déchargeais la marchandise. Car les enfants ne *jouent* pas, ils *travaillent*. Puis me fut offert par mes parents, vers cinq ou six ans, un présent vraiment royal : sur berceaux, un grand cheval bai, de la taille d'un saint-bernard. Avec du vrai poil, du vrai crin pour la crinière et la queue ; une vraie selle en cuir, des étriers ; une bride amovible, dont je tenais les rênes jusque dans mon sommeil.

Bien plus, par un prodige d'identification, il m'arrivait de me prendre moi-même pour un cheval ! Piaffant entre les brancards de mon traîneau rempli de neige, et incarnant tour à tour les pattes de devant en pliant très haut le genou, celles d'arrière en raidissant le jarret...

***

Par la suite — de 6 à 13 ans environ — j'ai eu le bonheur de passer toutes mes vacances dans le bas du fleuve, où ma famille prenait pension à l'unique hôtel du lieu : ma mère et moi durant tout l'été, mon père en week-end. Nous y laissions même, dans les tiroirs d'une imposante malle-cabine, nos vêtements et objets d'estivage. L'établisse-

226

ment restait ouvert de juin à septembre seulement, ne constituant qu'un revenu d'appoint pour les fermiers d'à côté qui en étaient propriétaires. Et les produits de la ferme alimentaient la table de l'hôtel.

Dès le début, ce fut pour moi le coup de foudre, le ravissement total. La ferme, j'y courais dès l'aube, n'en revenais qu'au crépuscule. Pensez ! après mes animaux-jouets de citadin, avec lesquels je vivais de fantasmes, voilà que je me trouvais soudain en contact quotidien, intime, tactile, avec tout un cheptel de bêtes bien réelles. Et notamment plusieurs chevaux, différents de taille, de poil et d'humeurs : d'énormes percherons pour les gros travaux, les labours, les récoltes, le halage du bois ou de la glace ; et pour la promenade et les travaux légers, une merveilleuse pouliche grise. Pommelée, comme ces nuages qui annoncent le vent.

Kate — mon PREMIER AMOUR.

Pourquoi Kate ? Ou Dolly, ou Nelly ? C'était comme ça, voilà tout ! Quoi qu'il en soit, nos propriétaires n'utilisaient la jeune bête que pour « passer le lait » chez les estivants, ou pour se rendre à la messe dominicale. Attelée alors, au gré des saisons, à un boghei aux roues caoutchoutées ou à une carriole à hauts patins.

J'ai profondément aimé cette bête. Dès le lever du soleil, c'est moi qui m'en occupais. J'étais le premier à pénétrer dans sa stalle, pendant que les fermiers trayaient les vaches. Je lui servais sa ration d'avoine, de fourrage et d'eau fraîche ; j'étrillais son pelage argenté, brossais sa crinière et sa queue, nettoyais sa litière. Après quoi je lui passais son collier, sa bride et tout son harnais ; puis je la sortais de l'écurie pour l'atteler à l'« express » et nous rendre à la petite laiterie contiguë à la maison de ferme. On chargeait les bidons de lait et de crème dans la caisse du véhicule, et en route pour la tournée matinale.

Au temps des foins, il arrivait d'affecter la jument au râtelage, histoire de relayer un autre cheval, plus puissant, mais occupé ailleurs. Kate endossait alors, si j'ose dire, un vêtement de travail : troquant le harnais élégant qui lui était coutumier contre l'attelage poussiéreux, terreux, trop grand pour elle, d'un de ses congénères. S'en trouvait-elle humiliée, je ne saurais dire. Le fait est qu'elle arborait alors, et bien qu'accomplissant vaillamment sa tâche, une mine passablement chagrine. Quant à moi, le râteau m'enchantait et j'en avais vite appris le maniement, d'ailleurs fort simple. Pas un roi, sur son trône, ne fut jamais plus glorieux

228

que moi sur mon siège métallique : d'une main tenant les guides, de l'autre le levier déclencheur du mécanisme actionnant les grandes dents préhensiles du râteau.

Et derrière nous s'alignaient les longs rouleaux de foin sec, odorant.

***

Les travaux de l'été comportaient quand même des journées de répit. On en profitait pour envoyer les bêtes au pâturage. Dans un petit pré, en contrebas de la ferme. Je n'aurais cédé à personne le privilège d'y conduire Kate. J'ouvrais puis refermais la barrière, débarrassais la jument de son licou et, d'une claque sur la fesse, la projetais, crinière au vent, dans un galop erratique et joyeux, vers cette promesse d'herbe tendre et de longue flânerie. Je crois qu'il n'y a rien d'émouvant comme de relâcher de la sorte un animal dans la nature — fût-elle allégorique et clôturée — et lui voir regagner du coup, en perdant ses entraves, toute sa noblesse originelle. Il m'arrivait de passer, en bordure du pacage, le plus clair de la journée ; de suivre, le long des haies de framboisiers sauvages, la promenade gourmande de ma bien-aimée. Parfois Kate relevait la tête et revenait vers moi, comme pour me dire : « Ce qu'on est bien ensemble, tu ne trouves pas ? » Je cueil-

229

lais alors pour elle de belles feuilles de pissenlit dont je la savais friande, ou sortais de mes poches quelques morceaux de sucre dérobés à son intention, et qu'elle mâchouillait en agitant les oreilles, avec un bruit des naseaux qui ressemblait à un ronronnement. Ses doux naseaux veloutés que je baisais avec ravissement, caressant son cou, son poitrail, sa vaste encolure frissonnante. Et la « picouille » du laitier prenait alors, à mes yeux, l'aspect même de Pégase, qui fit sortir de l'Hélicon la fontaine où les poètes vont puiser l'inspiration...

Et il me semblait que s'établissait, entre cette bête heureuse et moi-même, l'herbe fraîche, les fruits mûrs, le soleil et la brise marine, une sorte de symbiose, d'analogie miraculeuse, de plénitude. Un climat de bien-être qui ne pouvait avoir nom que Bonheur, qui ne pouvait avoir nom qu'Amour — mon PREMIER AMOUR.

FACE-DE-LUNE

par Jean-Yves Soucy

Comme tous les enfants du voisinage, j'en avais peur. Elle paraissait une géante à mes yeux de petit bonhomme de cinq ans. Et sans doute était-elle un colosse, car aux adultes aussi elle inspirait une terreur un peu superstitieuse. On disait qu'elle était folle, qu'elle parlait au diable, avait le pouvoir de guérir les maladies incurables ou d'en provoquer l'apparition. Quand elle était présente, les cochons se laissaient saigner sans se débattre ; d'un seul cri, elle avait arrêté net un cheval emballé. La rumeur voulait que même ses parents la craignent, surtout les soirs de pleine lune alors qu'ils l'attachaient à son lit ; autrement, elle aurait couru la campagne en loup-garou.

Quatorze ou vingt ans ? Il n'y avait qu'un cerveau d'enfant dans cette tête énorme au visage aussi rond et blême qu'une pleine lune. « Une tête d'eau », disait-on. De courts cheveux blancs clairsemés, les yeux rouges. Presque aveugle, paraît-il. Je ne croyais pas à la folie de Face-de-lune, mais portais foi aux accusations de sorcellerie. D'ailleurs, de

231

la fenêtre de ma chambre, je l'avais aperçue une nuit, qui rentrait furtivement chez elle, nue, les vêtements sous le bras. Elle revenait sans doute d'un sabbat ! J'étais persuadé qu'elle avait accès à un univers interdit au commun des mortels, et lui enviais ce pouvoir. À cette époque, le monde baignait pour moi en plein mystère, rien ne départageait le réel des mondes décrits dans les livres d'histoires et les légendes qu'on racontait à la veillée.

Je l'avais comme voisine immédiate et je l'épiais, caché sous la haie de chèvre-feuilles qui séparait notre terrain de celui de ses parents. Deux passions la possédaient : un potager et des lapins. Des heures durant, elle bêchait et sarclait, courbée en deux, en parlant à ses plantes. De la salive gouttait sur le sol. Parfois, elle s'interrompait sans raison apparente, se redressait et fixait le ciel au-dessus de l'horizon. Il se produisait alors un phénomène étrange : ses yeux se dessillaient, devenaient très grands, s'exorbitaient ; la pupille rose et le blanc autour disparaissaient, il n'y avait plus que des globes unis, verts ou violets, comme ceux des chevaux. J'imaginais qu'elle contemplait une autre réalité ; je m'efforçais en vain de la voir moi aussi. Puis, elle se mettait à marmonner, écoutait, parlait encore, comme

si elle conversait avec quelqu'un d'invisible pour moi.

Un ruisseau délimitait d'un côté notre propriété. C'était mon terrain de jeu favori et le moyen pour moi de résoudre une espèce de quadrature du cercle : atteindre la rive de la Matapédia sans violer l'interdit parental de traverser la route nationale où les voitures filaient à vive allure. En descendant le cours du ruisseau, je passais *sous* la route dans un énorme tuyau de ciment. Un après-midi, Face-de-lune m'y surprit. Elle venait de la rivière. J'aurais voulu fuir, mais elle me bloquait le passage. Autre chose aussi me retenait : elle pressait contre son ventre un grand bocal où nageait un animal étrange.

« Pogné bébé dragon », dit-elle avec une joie qui la fit baver encore plus. Et je vis la bête la plus monstrueuse qui se puisse imaginer : un corps de lézard, des pattes palmées, une queue frangée tout autour d'une membrane parcourue d'ondulations, une tête aplatie garnie de chaque côté d'une sorte de végétation de chair rouge. Un dragon ! Une quinzaine de pouces à peine, mais ce n'était encore qu'un bébé. « Faut tuer avant qu'y divienne gros et mange nous. » Elle plongea la main dans le bocal, s'empara de l'inoffensif Necture tacheté et lui broya la tête avec une pierre. J'étais soulagé qu'elle ait écarté

233

cette menace à notre sécurité et la remerciai au nom de tous, ce qu'elle apprécia.

Revenu à la maison, replongé dans la normalité, je pris peur rétroactivement et résolus de me tenir à distance de Face-de-lune. Mais elle, s'intéressait à moi, et entreprit de m'atteindre en courtisant ma mère. Elle lui apportait des légumes de son potager ou un lapin écorché. Elle prêtait attention aux propos de ma mère, lui posait des questions pertinentes et répondait aux siennes avec à-propos. Maman la trouvait de plus en plus raisonnable et se targuait d'être la cause de cette amélioration de son état mental. Une fois, elle me proposa d'aller voir ses lapins et ma mère me fit signe d'accepter. Je la suivis dans cette cabane où personne, pas même ses parents qu'elle terrorisait, n'avait pénétré depuis qu'elle l'avait transformée en clapier.

L'antre de la sorcière ! Elle me montra des images étonnantes épinglées au mur. Tous les monstres nés de l'imagination humaine : un chevalier en armure combattant un dragon cracheur de feu, un serpent de mer écrasant un voilier entre ses anneaux, un chien à sept têtes, des diables avec des ailes de chauve-souris, et d'autres encore, qui composaient une galerie terrifiante. Elle avait découpé les images dans des livres, mais

ces monstres, m'affirma-t-elle, elle les avait déjà croisés lors de ses expéditions nocturnes. Elle me parla des bêtes fabuleuses qui peuplent les fosses profondes de la Matapédia, et de celles de la terre ferme, qui se cachent le jour et hantent la nuit.

À compter de ce moment, la « folle » et moi devinrent d'inséparables amis. Une amitié qui ne manquait pas d'étonner le voisinage. Les gamins, dont j'étais autrefois le souffre-douleur, me fichaient désormais la paix : importune-t-on quelqu'un qui a une magicienne géante et folle pour alliée ? Quand je fréquentai l'école, elle prit l'habitude de m'attendre à la sortie pour me ramener à la maison. L'hiver, elle avait son traîneau ; en d'autres saisons, une petite voiture à ridelles. Elle m'y installait et trottait, hennissant à chaque maison devant laquelle nous passions. Envieux, les enfants me disaient que c'était dangereux de se tenir avec une folle, mais en privé, chacun me demandait comment faire pour devenir son ami. Les voisines mettaient ma mère en garde contre de telles fréquentations, mais cela ne faisait que la braquer. Esprit de contradiction ou foi sincère dans un certain sens des responsabilités de Face-de-lune ? Je l'ignore. L'important, c'est que sa présence décuplait le monde ouvert à ma curiosité.

Avec elle, la forêt qui barrait les champs derrière la maison me devenait accessible, la route nationale n'était plus une barrière, la berge de la rivière un domaine interdit. Je découvrais la Matapédia. Même la pointe boisée où habitait Volaille, un ermite qu'on accusait de voler dans les poulaillers, ce qui lui avait valu son nom, un « rabouteux » dont on médisait en public mais qu'on allait consulter en secret. Il était l'ami de Face-de-lune, et je devins moi aussi un familier de sa cabane faite de bouts de tôle et de planches disjointes. Je l'appelais monsieur Volaille, ce qui le faisait sourire. Je gardais le secret sur ces rencontres, car tous les parents mettaient leurs enfants en garde contre l'ermite.

Quel être merveilleux c'était ! Rieur, généreux, il connaissait tout des bêtes et des choses, des humains également. Assis sur des bûches à côté de son jardinet ou autour du baril de métal qui chauffait sa cahute, nous restions des heures à l'écouter. Que m'importaient ses poux, ses punaises, sa crasse, sa longue barbe embroussaillée, sa bouche édentée et le fait qu'il braconne saumons et chevreuils ! Par ses dits, M. Volaille confirmait lui aussi l'existence d'une face cachée des choses, d'un monde invisible tissé dans la trame même du quotidien.

Au fil des mois, mon amitié avec Face-

de-lune se développait. J'étais amoureux d'elle et lui trouvais une certaine beauté. J'avais, tout autant qu'elle, besoin de cette tendresse que nous partagions. Dans le clapier ou au milieu des arbres, nous nous embrassions et nous caressions. Assise par terre, longtemps elle me tenait dans ses bras, me berçait en murmurant des mots d'amour, des promesses d'amitié éternelle. Nous nous enfuirions ensemble au pays des fées et des dragons pour vivre dans un château de verre où nous serions prince et princesse. J'étais prêt à quitter, le soir même et sans regret, parents, amis, maison, école et village.

Ce monde magique de l'enfance s'écroula d'un coup. Une voiture s'arrêta un jour chez les voisins et des hommes en descendirent qui voulurent emmener Face-de-lune avec eux. Elle refusa, ils s'en saisirent. Elle criait, se débattait, mordait, frappait. Tout le voisinage était dehors à observer le spectacle, mais personne pour lui venir en aide. J'ouvris mon canif et voulus me précipiter à sa rescousse, cependant ma mère me retint. Après une lutte farouche, les hommes maîtrisèrent mon amie, l'attachèrent et la traînèrent vers la voiture. Elle gémissait : « Mes lapins ! Mes lapins ! » Elle tourna vers moi un visage en pleurs où un filet de sang rougissait la bave sur le menton.

Des yeux de cheval fou. Je criai : « J'irai te sauver ! J'irai te délivrer ! » Elle acquiesça par des grognements. Alors qu'on la faisait entrer de force dans la voiture, elle hurla vers le ciel ainsi que les chiens hurlent à la lune, et un frisson secoua les spectateurs. Tous des lâches ! Je lançai des pierres sur la voiture, puis, malgré les exhortations de ma mère, je courus chez les voisins en pleurant de rage. D'un gros caillou, je brisai la vitre derrière laquelle les parents assistaient impassibles à l'enlèvement de leur fille.

À mes « Pourquoi ? Pourquoi ? » désespérés, ma mère répondit que mon amie était devenue très malade et qu'on allait la soigner. Je n'en croyais pas un mot. Personne ne put me fournir d'explication plausible ni me dire quand elle reviendrait. Durant plusieurs jours j'en perdis l'appétit et le sommeil ; je guettais son retour, persuadé qu'aucune grille ne saurait la retenir. J'entendis les adultes se répéter à voix basse que la folle était enceinte ; l'œuvre de Volaille, assurait-on. D'ailleurs, l'ermite disparut et sa cabane fut incendiée.

Malade durant quelques semaines, je me consolai ensuite à l'idée que Face-de-lune s'était enfuie au pays des fées, là où personne ne pourrait la rattraper. Et longtemps j'espérai qu'elle vienne me chercher ; j'avais

238

caché dans le hangar un baluchon contenant les objets que j'emporterais. J'ai attendu durant des années. Jusqu'à ce que je comprenne que son pays magique, c'était en moi qu'il existait. Trente-six ans plus tard, le visage de l'albinos hydrocéphale m'habite toujours, et j'entends encore sa voix ronflante qui m'apprenait que, pierres, arbres, étoiles, tout vit et qu'on peut lire à travers les apparences, même humaines, pour peu qu'on s'en donne la peine.

CE FUT COMME UN COUP DE FOUET

par Yves Thériault

NARRATEUR

L'oisiveté — dit-on — est la mère de tous les vices. Surtout celui, bien pardonnable chez l'homme, de penser aux petites femmes. Et il arriva ce qui devait arriver. Autrefois, malgré les conseils de sa mère qui aurait bien voulu le voir marié, Gérard ne consacrait qu'une minime partie de son temps à la poursuite des entreprises amoureuses. Et encore, ce n'étaient que passades. Il allait à la ville un samedi soir, échangeait des œillades avec une belle, la menait dans un restaurant manger quelque chose de froid et d'agréable, puis il lui offrait le cinéma. Une fois, il en avait embrassé une qui était particulièrement coquette, belle, aguichante et replète. Mais il y avait trois ans de cela, et depuis ce temps, sa seule présence à ses côtés lui suffisait. Et aux conseils de mariage il répondait par la même et sempiternelle réponse :

GÉRARD

J'ai bien le temps, sa mère. J'sus pas pressé...

NARRATEUR

Mais il avait 25 ans, il était beau gars, il faisait des bons salaires pour la situation économique de ce village, et il aurait fallu, en toute justice, qu'il se mît à fréquenter l'une des trente-six jeunes filles qui formaient la population à marier de l'endroit. Étrangement, Gérard n'en appréciait aucune. Il les connaissait toutes. Aux noces où il était invité, il les faisait danser toutes, impartialement. Mais son choix ne s'arrêtait sur personne. Il ne ressentait pas encore ce feu soudain, cet embrasement de toute l'âme, cette poussée maîtresse vers le plus publicisé comme le plus populaire des sentiments : l'Amour.

Il attendait.

Il attendait quoi ?... « Qu'est-ce que tu attends ? » lui demanda Napoléon, son nouveau compagnon de travail...

NAPOLÉON

Qu'est-ce que c'est que tu peux ben attendre ? Tu vas t'enraciner quelque part, tu s'ras pus capable de grouiller de là. Vieux garçon pour le restant de tes jours. Ou ben tu vas être pris à marier une pauvre vieille maîtresse d'école toute séchée, raboudinée, pus bonne à grand-chose, pis à passer ta vieillesse à piétonner à côté d'elle sur la galerie de devant, à tuer des mouches avec une gazette pis à fumer du Grand Rouge mal séché...

NARRATEUR

Mais Gérard n'écouta pas plus Napoléon qu'il n'écoutait sa mère. Et si le vieux espérait savoir pourquoi Gérard ne bougeait pas en direction du mariage, il en fut pour ses frais. Gérard se mit à rire, montra le manœuvre en bas, qui tendait la planche, et dit :

GÉRARD

Allez-vous-en sus votre pile, le père, pis placez de la planche. Ça vous va mieux que faire votre p'tit « Courrier de Colette ».

NARRATEUR

Coulèrent les jours, moururent — pardonnez-moi, dieux de la phonétique ! — moururent, donc, les mois, et l'été en était rendu à vivre son mois d'août quand un après-midi, alors qu'arrivaient dans la cour les premiers chargements de cent mille pieds de beau pin clair de nœud que venait de scier Henri Dosquet, alors, donc, qu'arrivait cette belle consignation de bois odorant et payant, voici qu'en droite ligne avec les yeux de Gérard, sur le sol en bas et devant un bosquet, apparut une fille. Chez des pas pressés comme Gérard, il arrive toujours qu'à un moment apparaît une fille, et c'est celle-là. Pas d'autres, pas de différente, pas de mieux ou de pire : celle-là. Gérard resta immobile. Le manœuvre tendait la planche, attendant que Gérard s'en empare pour lui donner le coup qui déplacerait le centre de gravité et la ferait voler comme une plume dans les mains de Gérard. Mais rien ne vint. Les mains du gars étaient immobiles, comme ses bras, ses jambes, sa tête et son cœur. Rien ne bougeait, ne respirait, ne battait. La fille, Gérard, le soleil...

En vérité, elle était belle. En vérité, c'était du monde. Pas grande, mais dessinée dans la juste proportion nécessaire pour sa taille. Cheveux roux, un nez retroussé, des yeux... oh, des yeux ! Et une robe... oh, la robe ! Et... belle, enfin. Vous devriez savoir ce que ça veut dire, du beau monde en robe fraîche, dans le soleil, devant un bosquet vert !

Gérard descendit de sur cette pile de bois comme si quelqu'un de malicieux lui avait implanté quelque part un feu continu qui le faisait avancer aussi vite qu'un avion. Il ne descendit pas, il plongea. Il ne courut pas, il vola. La fille semblait attendre...

(Son : au loin : moulin à scie)

244

GÉRARD

On peut vous aider, mam'zelle ? Vous cherchez quelqu'un ?

FILLE

Je cherche mon père.

GÉRARD

Vot' père, mam'zelle ?

FILLE

Henri Dosquet, le propriétaire du moulin à scie...

NARRATEUR

Gérard était encore plus estomaqué. De près, elle était cent fois plus belle encore. La texture de la peau des joues, les lèvres mobiles, humides, agréables comme des fruitages de bois de sapin. Les yeux... encore les yeux ! Puis, Gérard songea : « La fille de Dosquet ? Mais quelle fille ? »

GÉRARD

Vous êtes la fille de monsieur Dosquet ? Laquelle ?

NARRATEUR

Sèchement, en regardant par-dessus Gérard voir si elle n'apercevrait pas son père, la jeune fille lui répondit comme on répond à un importun :

FILLE

Ghislaine, la plus jeune.

NARRATEUR

Il ne seyait pas à une étudiante des grands couvents de se montrer trop familière avec un engagé, et déjà l'impatience la gagnait. Qu'est-ce qu'il voulait, celui-là, à la questionner comme si elle avait été une servante ?

FILLE
(sèchement)

Est-ce que mon père est ici ?

GÉRARD

Il est là-bas, derrière les piles de pruche.

NARRATEUR

En entendant prononcer le nom de Ghislaine, Gérard se souvint qu'en effet, il y avait... ou plutôt, il y avait eu, chez Henri Dosquet, une petite jeune du nom de Ghislaine. Mais encore... encore il y a cinq, six ans c'était haut comme une chaise de nain. Ça jouait à la poupée... Il avait vu ça courailler les chemins, mais que ça puisse avoir grandi...

GÉRARD

Ben, j'en r'viens pas... La p'tite Ghislaine... C'est vous qui était au couvent ?

FILLE
(brusque)

Mais oui, mais oui... Allez donc me chercher mon père...

GÉRARD

Vous avez... grandi depuis la dernière fois que je vous ai vue... Grandi, c't'effrayant...

FILLE

C'est bien normal, monsieur. Je ne vous connais même pas. Si vous m'avez vue il y a dix ans...

GÉRARD

Pis embellie, à part ça... Embellie sus l'vrai temps... Quel âge que ça vous donne, là ?

NARRATEUR

C'en était trop. Une telle question devenait quasi une insulte. Il n'y avait pas à se méprendre sur les yeux curieux de Gérard, sur son sourire, sur l'air qu'il avait, les jambes bien campées, droit devant la fille, la détaillant comme du bon butin de grand magasin...

FILLE

J'ai 19 ans, monsieur. Et je suis justement assez vieille pour vous demander de me laisser tranquille. Vous avez des façons plutôt audacieuses de me parler. Et si vous ne vous éloignez pas immédiatement, je vais me plaindre à mon père...

GÉRARD

Ouais... du tempérament, à part ça. Y'a pas à dire, vous feriez une sérieuse de bonne femme à un gars...

NARRATEUR

Et sur ces mots, Ghislaine, outrée, tourna net le dos à Gérard. Un mur, une porte qui claque, le beau dos en robe blanche, avec des reflets de peau bronzée à travers la transparence...

GÉRARD

Vous avez un beau dos. J'vous remercie ben. Là, j'sais que vous êtes égale de partout. Belle en avant comme en arrière. Beau dos, beau visage, beau...

NARRATEUR

Ce fut comme un fouet. Ghislaine, retournée de nouveau, fonçait sur lui en criant :

FILLE

Vous êtes un malappris, un grossier, un pas éduqué, un... un...

NARRATEUR

Ça ne venait plus, les mots. Ça restait bloqué dans la gorge. Elle était furieuse. Et comme Gérard souriait toujours, à la façon que ça le faisait sourire, ce beau patron de fille, elle détendit son bras tout à coup...

FILLE

Tiens ! *(Son : gifle)*

NARRATEUR

...et gifla Gérard. Immobilité, surprise. Tout cesse de bouger, les hommes stoppent, planches en l'air. On eût dit que même les oiseaux s'étaient tus, que même le soleil avait interrompu sa course.

D'une voix douce, mais avec des mots passés entre les dents, mordus, aplatis, Gérard, son sourire parti et ses yeux devenus des tisons, murmura à la fille :

GÉRARD

Dans trois mois d'icitte, j'te garantis, toi, garanti comme une garantie de char neuf, que j'te marie !

Extrait de *Cent mille pieds de pin clair de nœuds*, Théâtre de la série *Contes de chez-nous*, radiodiffusé sur les ondes de CKAC, en juillet 1950. Yves Thériault écrivait beaucoup pour la radio. Que ce conte soit une invitation à redécouvrir une part considérable de l'œuvre du grand écrivain.

LA PASSION TEDDY

par Michel Tremblay

Je l'ai d'abord trouvé bien laid. J'en fus même un peu dégoûté. Mes parents avaient dû se méprendre sur le mot « catin » : c'est une *poupée* que je voulais, une vraie poupée, un enfant réaliste avec des membres bien formés, des yeux qui s'ouvraient et se fermaient selon qu'on le tenait debout ou couché, un sourire bien dessiné et un nez normal, pas ce... cette chose raide et rude au toucher avec un museau en laine et des yeux en boutons de bottine ! Ou alors ils ne s'étaient pas trompés du tout, justement : cette chose était peut-être tout simplement un compromis (je ne connaissais pas encore ce mot mais j'en saisis immédiatement la notion en déballant le cadeau) ; après tout, un petit garçon avec une poupée c'est un peu suspect, non ? Tandis que...

Ma mère, après trente secondes de silence durant lesquelles j'étais resté plutôt figé qu'enthousiaste devant l'objet qu'elle m'avait poussé dans les bras avec une émotion non dissimulée, s'est penchée vers moi en me replaçant le toupet toujours un peu rebelle. « Ça s'appelle un teddy bear. C'est beau, hein ? »

Beau ? De la fausse fourrure — de la peluche, plutôt — en deux teintes de brun (une couleur que j'abhorrais déjà), bourrée de quelque chose qui crissait sous la main — du sable ? y m'ont donné un vulgaire toutou bourré de sable ? — et aux articulations tellement mal faites qu'on voyait la corde qui rattachait le bras à l'épaule, alors que j'aimais déjà d'une passion sans mélange le petit enfant que j'attendais et qui, j'en étais convaincu, allait partager mon lit de fer à hauts montants à partir du soir de Noël et pour une période indéfinie, peut-être même pour toute la vie ! Étais-je pogné pour partager mes nuits avec un teddy bear à l'air innocent *qui ne fermait jamais les yeux !* Comment dormir avec un jouet affreux qui vous dévisage toute la nuit ! J'avais rêvé d'un bébé bien à moi et on m'imposait une bête féroce !

J'ai regardé ma mère droit dans les yeux et je crois bien qu'elle a reçu mon reproche silencieux en plein cœur parce qu'elle s'est aussitôt redressée pour replacer dans l'arbre de Noël une bebelle qui n'avait pourtant pas bougé.

J'ai inventé un gros mensonge pour la faire culpabiliser et ça a marché : « J'y avais préparé un nom depuis longtemps. Véro-

252

nique. Mais j'pense que j'vas laisser faire, hein ? » Elle a accusé le coup en replaçant des glaçons sur une branche haute, près des trois anges qui remplaçaient chez nous la traditionnelle étoile. J'ai posé le teddy bear au beau milieu de l'énorme crèche qui faisait l'orgueil de la famille depuis trois générations, en écrasant trois ou quatre moutons que j'avais moi-même passés à la farine la veille pour qu'ils soient bien blancs, puis je me suis ostensiblement concentré sur mes autres jouets.

Ma grand-mère paternelle n'a fait qu'un court commentaire mais que j'ai reçu derrière la tête comme une claque bien placée : « C't'enfant-là est pas normal, certain ! L'année prochaine, y va-tu nous demander une robe, pour Noël, coudonc ? »

Je crois bien que ce fut le jour de Noël le plus sombre de ma vie. De temps à autre je jetais un regard furtif sur la crèche. Le gros niaiseux trônait au milieu des jolies maisons, des bergers en papier mâché que ma grand-mère appelait des « chansons de Provence », et des moutons écrasés, témoin de ma déception et de ma colère refoulée. Un géant de fourrure fiché au beau milieu d'une paisible crèche et qui en fausse les proportions au point de la rendre ridicule. Mais personne n'y a touché et il est resté là jusqu'au soir.

Mine de rien, j'ai embrassé toute la famille avant d'aller me coucher en serrant contre mon cœur une partie de mon nouveau jeu de mécano en métal vert et rouge. Ma grand-mère, qui n'a jamais été diplomate, a poussé les hauts cris : un enfant ne se couche pas avec un mécano, c'est dangereux, il peut se crever les yeux, ou se perforer le dos, ou se trancher un doigt... Devinant mon si peu subtil jeu, ma mère m'a retiré le mécano des mains en me disant qu'elle viendrait me border dans cinq minutes.

Ils sont arrivés tous les deux un peu piteux, elle se replaçant des cheveux qui n'avaient pas bougé comme elle avait replacé les bebelles de l'arbre de Noël, pour se donner une contenance, lui encore plus mal à l'aise, les mains dans le dos et la tête baissée. Étonnamment, c'est lui qui a parlé. J'avais fermé les yeux pour faire semblant que je dormais tout en sachant qu'ils savaient que je ne dormais pas et j'ai sursauté quand j'ai entendu sa voix à lui.

C'est donc mon père qui m'a fait aimer mon teddy bear. Avec une simplicité qui m'étonne encore aujourd'hui. Il nous a assis l'un en face de l'autre, il nous a en quelque sorte présentés l'un à l'autre une seconde fois, puis il a parlé tout doucement.

Il a d'abord parlé de moi au teddy bear avec une telle chaleur, me déclarant à travers lui un amour d'une telle force que j'ai été obligé de m'appuyer contre la tête de mon lit. Pour la première fois de ma vie j'entrevoyais la place importante que je tenais dans le cœur de mon père et j'en étais foudroyé. Même si sa vision de moi était en fin de compte pas mal idéalisée : il a décrit un peu l'enfant que j'étais et beaucoup celui qu'il aurait voulu que je sois et je me suis presque senti indigne de son amour, comme le teddy bear devait se sentir indigne du mien parce qu'il n'était pas la poupée réaliste qui pouvait ouvrir les yeux et pisser de la vraie eau, l'enfant idéal dont j'avais rêvé depuis des mois.

Puis il m'a parlé du teddy bear, de ce que je croyais être laid en lui, son museau en laine et ses articulations apparentes, ses yeux en boutons de bottine et ses griffes en feutre cousues n'importe comment, soulignant le côté comique de tout ça, le côté touchant, aussi, parce que si on regardait bien il y avait quelque chose de touchant dans la façon maladroite d'être de cet ourson, dans sa laideur naïve, dans la candeur qu'il dégageait. Une poupée ne dégage pas de candeur, on l'aime pour sa ressemblance réaliste avec la vie mais un ourson en peluche est tellement plus vulnérable, tellement plus

« aimable ». Un ourson en peluche s'adresse à l'imagination et tout ce qui s'adresse à l'imagination est admirable. (Il n'a évidemment pas employé ces mots-là pour me parler du teddy bear, j'essaie seulement de rendre ici l'essence de ce discours qui fut peut-être le plus long de sa vie et qui a changé la mienne.)

Au fur et à mesure que mon père me parlait, le teddy bear se transformait sous mes yeux et j'en fus fou au bout d'un quart d'heure.

En fait, je ne parlerai pas du tout de ce premier amour, je m'aperçois que les mots me manqueraient ; sachez seulement qu'il fut à partir de ce moment-là d'une violence inouïe, sûrement partagé parce que les yeux de mon teddy bear me le disaient, exclusif parce que personne dans la maison n'osait l'approcher et définitif parce qu'il ne se démentit pas pendant de longues années. La force de persuasion de mon père m'avait rendu beau et essentiel un cadeau que j'avais d'abord haï et j'avais appris qu'on peut changer d'avis sans pour autant se rabaisser ou se rendre ridicule.

Et je n'ai jamais plus demandé de poupée.

LE DÉBUT D'UNE AVENTURE

par Pierre Turgeon

Il venait d'avoir 40 ans et de descendre les poubelles dans le garage, dix étages plus bas. Les coudes sur la table tachée de miel par les enfants partis pour un week-end de ski, il lisait son journal sans trop s'y intéresser. Les nuages délayaient des tons de gris. Les mouettes dérivaient entre les tours d'habitation. La catastrophe qu'il avait crainte toute sa vie ne s'était pas produite. Il menait une existence tranquille, angoissée. Mieux eût valu affronter le danger, pour donner à ses alarmes quelques fondements — et les joies de l'aventure.

Persuadé que sa femme rentrait plus tôt que prévu de l'agence de publicité, il ouvrit à distance sans se servir de l'interphone. Quand on frappa dans le couloir, il négligea de regarder par le judas. Et il se retrouva devant sa maîtresse.

Depuis Paris, cinq ans plus tôt, elle n'avait pas changé : allure impériale, tête haute que couronnait une chevelure noire, pommettes saillantes, yeux verts moqueurs et tendres. Déjà son parfum effaçait les remugles des cuisines voisines. Elle lui serra la main, et demanda, avec son accent pointu, qui l'émouvait à tout coup : « Je peux entrer ? », comme s'ils venaient de se quitter dans cette salle de Lipp, où le patron octogénaire s'entêtait à les placer à l'étage, ce qu'elle considérait chaque fois comme un affront à son statut social.

Comme il ne répondait pas, statufié, elle se glissa entre lui et la porte, et s'avança jusque dans le salon où les journaux traînaient partout, ainsi que les jouets des enfants. « Tu es père de famille, maintenant ? » Depuis longtemps avant leur rencontre, mais elle ne le savait pas, puisqu'il ne lui avait rien dit de sa vie privée à Montréal, sauf qu'il était marié. « Je t'embête ? Je repars, alors ! »

Il la prit par les épaules et la poussa doucement dans un fauteuil. « Montréal n'est plus trop froid ? » Quand il l'invitait à venir le rejoindre, elle prétextait toujours l'horreur des hivers canadiens. Et les maringouins, oh la, la ! Pas drôle, ce pays ! Un congrès en sciences politiques, à l'hôtel Bonaventure. Pas moyen d'y échapper, ni non plus de résister à la tentation de chercher son nom dans l'annuaire.

« Dis donc, toi, tu aurais pu me faire tes adieux. Ou m'écrire au moins. Moi, je crai-

gnais que ta femme intercepte ton courrier. » Son père, le poète, était mort. Funérailles nationales, car il avait été une « voix » de la Résistance. Mais sa mère pétait toujours du feu. Et son frère, oui, celui qui était venu installer les rideaux à l'appartement pendant qu'ils faisaient l'amour, s'était marié : deux enfants déjà.

« Et toi ? » Il feignait la désinvolture, mais sa voix tremblait. La bataille contre les cancres, contre l'administration ; les vacances à Nice, les seins nus, oui, elle enlevait finalement son haut de bikini sur la plage, sinon on se faisait trop remarquer. « Mais sur un plan personnel ? »

« Je te trouve bien curieux. Si tu crois que je suis restée seule tout ce temps... Mais actuellement... » Elle soupira et s'éventa le visage des doigts, comme chaque fois après un aveu désagréable. Il consulta sa montre et se leva. « Allons faire une marche dans le quartier. Tu verras, c'est agréable. » « J'ai compris. Ta femme peut rentrer. Allons-y ! »

Dehors, dès qu'ils se furent éloignés de son immeuble, il lui prit la main. Avaient-ils tellement changé, depuis la dernière promenade sur le boulevard Saint-Germain ? Ou depuis leurs errances dans Venise, quand elle avait menacé le concierge de La Luna de coucher sous les ponts plutôt que d'accepter une chambre qui ne donnât pas sur le Grand Canal qui reflétait le dôme de La Salute ? Et pendant tout ce séjour, il avait combattu pied à pied pour ne pas tomber amoureux, pour ne pas « perdre la tête » comme il disait. Il se tenait un discours cynique sur sa maîtresse parisienne, sur les distractions érotiques qu'elle procurait en échange de voyages exotiques. Il cherchait ainsi à en faire une cocotte. Mais cette tactique ne fonctionnait plus. Quand il la regardait dans les yeux, une irrésistible tendresse le chavirait. Et elle acceptait de moins en moins qu'il la trompât avec son épouse. « Je ne change rien dans ta vie, en somme », disait-elle avec chagrin. Il plaisantait en haussant les épaules.

C'est la distance qui l'avait sauvé. Il s'était simplement juré de ne plus retourner à Paris. Il orienterait ses affaires vers l'Ouest. La Colombie britannique et le Japon devenaient à la mode chez les industriels. Mais les geishas, très peu pour lui ! Dans l'avion, alors qu'il fuyait son désastre sentimental, il se jura de ne plus avoir d'aventures. Famille, travail et, puisqu'il était Québécois, patrie à cocher au choix des référendums.

Mais elle l'avait suivi avec cinq ans de retard, jusque dans la tanière où il entretenait ses plaies. Ils regardaient passer, non

plus les gondoles, mais les remorques bruyantes et polluantes de l'autoroute des Laurentides. Il s'arracha au parapet métallique et se tourna vers elle. De nouveau il se sentait tomber. Mais il avait décidé de ne plus éviter la chute. L'univers se réduisait à ces lèvres violemment fardées, à cette langue qui pointait derrière l'enclos parfait des dents.

Ils revinrent lentement vers sa tour d'habitation. Il la tenait par la taille. Du dixième étage, sa femme pouvait en principe les voir. Mais il n'en avait cure. « Aujourd'hui, je suis tombé amoureux. Pour la première fois de ma vie. »

— Tu y as mis le temps ! répondit-elle en appuyant la tête contre son épaule.

TABLE DES MATIÈRES

Québec
10
10

Achevé Imprimerie
d'imprimer Gagné Ltée
au Canada Louiseville